連合赤軍27年目の証言

植垣康博

彩流社

目　次／連合赤軍27年目の証言

挿絵／植垣康博
装幀／ペーパーイート

娑婆人生、三年目——序にかえて

「強制睡眠」からの解放

一九九八年一〇月六日、約五年半程の間、懲役囚として一日も休むことなく務めていた甲府刑務所を、情け容赦なく「リストラ」され、不況の嵐が荒れ狂う娑婆《シャバ》に放り出されてしまった。刑期が終われば用無しとばかりに追い出してしまう刑務所の態度は、実につれないものである。それから二年、様々な問題にぶつかり、あっちへフラフラこっちへフラフラしながらなんとか無事に乗り切り、今、娑婆人生三年目に入っている。

それにしても、刑務所というところは実に不思議な所である。そこに入りたくてもなかなか入れてくれないくせに、いったん中に入ってしまうとちょっとやそっとのことでは出してくれない。ところが、長い刑務所暮らしが板につき、娑婆への未練が消え失せてしまっても、時期が来れば過酷な娑婆に出ていかざるをえないのである。もっとも、ほとんどの者は、指折り数えながら、ひたすら出所出来る日が一日でも早く来ることを願い、その日が来ると喜び勇んで刑務所を後にする。ところが、彼らの大半は、「もう戻ってこないぞ」と広言した舌の根もかわかないうちに、娑婆の過酷な風に吹き戻されてしまうのである。

　私が連合赤軍事件で逮捕されたのは、一九七二年の二月一九日であるから、私にとって娑婆は二六年八ヶ月、実に約二七年ぶりである。二七年と一口に言ってもどれぐらいの長さか見当がつかないが、逮捕された時は二三歳になりたてで、出所した時は五〇歳直前であるから、二〇代、三〇代、四〇代のほとんど全てを獄中で過ごしたことになる。そんなに長く獄中で過ごしたのかと、我れながら驚いてしまうが、これだけ長くいたのだから出所の時はさぞかしうれしかったことだろうと思うかもしれない。

　ところが、それはけっして身も心も躍るような感激的なものではなかった。むしろ反対に、まったくと言っていい程見知らぬ世界にいきなり放り込まれた時のような不安と違和感を伴っていた。それは、地に足がつかないフワフワしたつかみどころのないもので、およそ外に出たということを実感させるものではなかった。

　実際、いくら自由の身になっても、三〇年近くのブランクがあっては、一体どんな生き方が自分に出来るのか見当もつかないのが正直な思いであった。しかも、それまでの三食昼寝つきの生活と違って、これからは毎日の生活の糧と寝る所を自分で確保しなければならないが、それとてもこれといってすぐに役に立つ資格があるわけではなく、自分に何が出来るのか心許ない限りであった。自分が落ち着くことが出来る場所を作ることに至っては、さっぱりだった。こんなわけで、外に出てからやらなくてはならないことが山ほどあるにもかかわらず、将来への見通しは真っ暗だったのである。

　こうして始まった私の娑婆人生において私を何よりも困らせたのは、実入りの乏しさでも安定地のなさでもなかった。それは、外の世界の刺激の強烈さである。外に出たらあれも食べようこれも食べようと思っていたことが、出所した途端、ドッと押し寄せて来た外界の現実の前に九天のかなたへと吹き飛んでしまい、結局最初に口にしたのはサンドイッチだけだった。その後もしばらくの間は何を口にしてもおいしいと感じることができず、そのため、様々な人から「何を食べたい」と聞かれるたびに大いに苦労した。今では日本料理と率直に言えるようになったが、やはり長い間蛋白質が圧倒的に不足している世界にいたためか、焼肉などの肉料理も私の好みとなっている。

　睡眠に関しても、同様である。刑務所では、夜の九時から朝の六時四五分まで、実に約一〇時間に及ぶ強制的就寝時間があり、この間じゅう布団の中で寝ていなくてはならない。土日や祭日の休日に至っては、朝の七時四〇分まで一一時間四〇分、ほぼ一日の半分を寝ていなくてはならない。その際、たとえ布団の中に入っていても、本を読んだり書きものをしたりすることは出来ない。一日一〇時間も寝ていなくてはならないということは、ほとんど拷問に近い。それでも慣れてくると、一〇時間近く眠れるようになる。まさに「慣れるより慣れろ」である。ところが、外に出たその日から、神経が一種の興奮状態になってしまってなかなか寝ることが出来ず、やっと寝られても二時間程で眼が覚めてしまうような状態が一ヶ月程続いた。まわりからの刺激が強いため、睡眠時間が少ないことはさほど苦にならなかったが、そのかわり静かな所にいると急に睡魔に襲われるようになり、坐ったまま寝てしまうことがたびたびあった。今でも睡眠時間は五時間程で十分である。

　しかし、こうしたことは生きていく上で邪魔にならない。何よりも障害となっていることは、文書がほとんど書けなくなってしまったことである。このことは奇妙に思われるかも知れない。というのは、かつて東京拘置所に未決囚として裁判を受けながら拘留されていた間、私は連合赤軍問題の総括文を中心に書きまくっていたからである。

　この中と外の違いの原因は、中にいた時、独房に閉じ込められていることによって本を読むことと文書を書くことぐらいしか自由がなかったせいもあるが、なによりも外の世界からの雑音がほとんど遮断されていたことによって雑念抜きに原稿書きに集中できたことであろう。また、書かなければならない問題を沢山抱えていて、書くことを何よりも優先させなければならなかった。ところが、外に出て来たことによって、外界からの圧倒的な刺激にさらされ、雑念だらけになってしまって書くことに気持を集中できなくなり、書くということへの意欲が湧いてこなくなってしまったのである。

　獄中にいた時、私は、時間や移動の自由と多くの情報による刺激がもっとあれば、さらに多くの原稿を書けるだろうという思いをもっていた。しかし、いざ外に出てみると、それらが逆に原稿書きへの大きな障害になってしまったのである。たしかに、このことは、私が外の環境に慣れ、それらに振り回されなくなれば、書くことに気持を集中していくことができるようになるであろう。時間が解決してくれるというわけである。しかし、出獄したらさしあたって本の出版などによって生活費を捻出していこうと考えていた私にとって、書けないということは由々しき問題であった。

インタビューを通して経験したこと

　こうした状況にあった私を救ってくれたのは、「きつね目組」組長の宮崎学さんをはじめとする多くの友人や知人からの援助であったが、同時に、物書きや編集者、記者たちによる私へのインタビューも、わずかな額とは言え貴重な収入源となった。

　これまで私をインタビューした人は、「一水会」の代表をしていた当時の鈴木邦男さん、作家の山平重樹さん、産経新聞編集委員の宮本雅史さん、「坂口菊枝さんを支える会」の高橋檀さん、南原企画の南原四郎さん、「文藝」の阿部晴政さん、ＩＶＳテレビの前田辰宏さん、ニュースキャスターの久能靖さん、そして宮崎学さんと多彩にわたっている。この間には、新宿歌舞伎町にあるロフト・プラス・ワンでの鈴木邦男さんや宮崎学さんとのトーク・ライブや一水会の現代講座での講演、名古屋での講演などがある。

私が彼らのインタビューに応じたのは、もちろん報酬が目当てではない。それは、連合赤軍問題をできるだけ多くの人に率直に語ることによって、この問題の風化を防ぎ、その総括の重要性を理解してもらうためである。しかし、かつてはもっぱら書くという形で扱ってきた連赤問題を語るという形で扱うということは私にとって慣れないことで、大いに苦労したが、その反面、それまで考えてもみなかった様々な角度からの質問や疑問に答えていくことによって、私の連赤総括をより現実的で具体的なものにしていくことを可能にするものだった。連赤総括を実際の問題に応えられるものにしていくこと、しかもそれを誰にでもわかるように語ること、これこそこのインタビューを通して私が経験したことである。インタビューは、原稿を書くということとはまったく違った苦労が必要なことを教えてくれることになったわけで、このことは、私が外の世界に適応していく上で重要な役割をはたしてくれているのである。

これまでのインタビューのうち、今回の本に収録したのは鈴木邦男さん、高橋檀さん、および南原四郎さんによる三本である。

鈴木さんは、新右翼の一水会の代表を長く担っておられたが、今年の初め、一水会の顧問に退いている。鈴木さんとの交流が始まったのは随分前のことで、一九八四年五月に『兵士たちの連合赤軍』を出版した直後、一水会の機関紙「レコンキスタ」の紙上において、きわめて好意的な紹介をしてくれたことに始まる。左翼と対抗している右翼（新右翼）の機関紙で、いわゆる「極左」に属する私の本を取りあげるということに驚いたこともあって礼状を出したところ、鈴木さんがわざわざ面会に来てくれたのである。

出所の翌日、新橋の東京第一ホテルのロビーで会ったが、その際、鈴木さんからインタビューの依頼があった。こういう話がまず左翼の側の人からのものではなかったのは残念であり、また、インタビュー自体経験したことがなかったので、とまどいがあった。

しかし、故野村秋介さんの同志で、二十一世紀書院の経営者でもある蜷川正大さんと私の東京拘置所時代の往復書簡を「レコンキスタ」に掲載するなど、少なからぬ縁があり、断わるようなことではなかったので、インタビューを了解した。すると、鈴木さんは、この日から何日もしない一〇月下旬、私がとりあえずの落ち着き先としていた鳥取にまで飛行機で来てくれたのである。

鈴木さんのこのような熱心さにほだされ、刑務所を出た時に受け取ったなけなしの「作業賞与金」の残りをはたいて鳥取の高級旅館に部屋をとり、日本料理を食しながら、鈴木さんのインタビューを受けた。これが、「創」の一九九八年一二月号に掲載された「『連合赤軍事件』27年ぶりの出獄」(本書は改題して「連合赤軍事件と獄中27年」となっている)である。出所直後のことで、連赤問題を語るということに慣れていなかったため、言葉足らずできわめて不十分なものになっているが、外の世界にまったく慣れていない出所直後の私の特徴がよく表われており、今回ここに収録することにした。

鈴木さんとは、その後も東京で何度か会い、一九九九年の二月四日には千駄ヶ谷の河合塾の牧野剛さんの講義の時間を利用して、塾生たちへの発言の場を与えてくれた他、同年の四月、ロフト・プラス・ワンでのトーク・ライブと一水会の現代講座での講演の設定など、私が外の世界と関係をもち、多くの人たちとのつながりをつくっていく上で、大いにお世話になった。その後、「週間SPA!」の彼の連載、「夕刻のコペルニクス」の記事をめぐって若干のトラブルがあったが、私は、鈴木さんに心から感謝している。

　高橋檀さんが属している「坂口菊枝さんを支える会」は、連合赤軍事件で死刑判決を受けた坂口弘さんのお母さんの菊枝さんが我が子を支え続けている姿に共鳴して、坂口さん母子を力づけていくことを目的として生まれた会である。高橋さんは、その会の会報「しるし」を発行し続けてきた人であるが、その高橋さんとは、出所するまで面識はなかった。

　初めて会ったのは、私も参加している「連合赤軍の全体像を残す会」の集まりに、高橋さんが参加した時である。私は、この集まりで連赤の崩壊に至るまでの自分の歩みを語っているのであるが、私の話を聞いていた高橋さんから、これまで「しるし」には坂口さんサイドの事件の記録、裁判内容は掲載しているけれども坂口さん以外の当事者を取り上げたことがないということで、インタビューの依頼があった。こうして、九九年の一二月一九日、上野の国立美術館の入口にあるベンチで、高橋さんのインタビューを受けたのである（二回目は二〇〇〇年七月四日）。

　これは、「しるし」の「春想号」と「紅葉号」の二回にわたって、「僕にとっての連合赤軍事件」と題して掲載された。その中で、高橋さんは、連赤当時における永田洋子さん、坂口弘さんの姿と連合赤軍統一公判における姿との違い、あるいはリーダーの森恒夫さんに対する私の印象と出所後に聞く森さんへの評価との違いを通して、連赤の実態に迫ろうとしており、私の受けたインタビューの中でも内容のあるものの一つとなっている。

とはいえ、高橋さんの質問は、私にとってきわめて過酷なもので、私は冬の屋外であるにもかかわらず汗のかきっぱなしであった。そんな訳で、この「僕にとっての連合赤軍事件」をここで取り上げることにした。高橋さんは、これからもインタビューを続け、様々な角度から連赤問題を扱っていきたいとのことであるが、私としてもこの高橋さんの努力に積極的に応えていくつもりである。

南原企画の南原四郎さんによるインタビューは、南原さんが「月光」の第一四号において、「連合赤軍秘史」と題する論文を発表したことがきっかけである。この「連合赤軍秘史」で、南原さんは、永田洋子さんの『十六の墓標』を読む形で連赤の赤軍派と革命左派の両派の歴史を丹念に追跡し、連赤問題だけではなく、よど号ハイジャック事件や日本赤軍問題など、赤軍派全体の問題に対しての試論を試みており、それは実に大胆で意欲的な作品である。

南原さんは、全共闘運動を通して過酷な七〇年安保闘争に係った一人であるが、その七〇年安保闘争が敗退したあと、それを担いながらその総括をしないまま今日に至っている現状を嘆いていた中で、出所後の私のインタビュー記事を読んで当時のことがよみがえり、連赤問題について自分なりの総括を表明しておこうと思ったそうである。それだけに、南原さんの試論は、当事者が触れたくないような問題を恐れることなく扱っており、極めて刺激的で自信に溢れていて、私にとっても学ぶところが大であった。だから、南原さんからインタビューの依頼があった時、心から応じる気持になった。

南原さんによるインタビューは、二〇〇〇年の六月一〇日、新宿五丁目にある南原企画事務所で行なわれた。冷房のない部屋で、大変な暑さの中でのインタビューであった。しかし、質問された内容が、当時の運動が抱えていた問題から現在に至る問題まで広範囲にわたったため、暑さを忘れさせる三時間半であった。

それが「Luna-J」（「月光」増刊、通巻一五号）に掲載された「連合赤軍秘史・番外編」である。それまで私が受けたインタビューの中でもっとも印象に残っており、皆さんに読んでもらいたいものである。これは、連赤問題が現在において持つ意味がよくわかるのではないかと思う。

インタビューに応じるということは、私にとっては、外の世界に順応していく上で貴重な経験になった。しかし、それだけではどうにもならない問題があった。それは、二七年もの間の空白による大きなギャップの存在だった。私は、このギャップを埋めるために、ともすれば閉じ込もりがちになる自分を追い立てるようにして、より多くの人たちと接触し、話し合おうとした。ところが、実際には、そうすればする程ギャップの大きさを思い知らされ、外の世界における自分の居場所が見えなくなってしまったのである。

実際、このギャップは思っていた以上に大きなもので、それまでの内と外の違いから来る意識や認識の差は、そそり立つ部厚い壁の存在を感じさせる。しかも、その壁は、それまでの目に見える壁と違って目に見えないだけに、始末におえないものであった。ところが、この壁を崩さない限り、一人の人間として現実の社会で闘っていくことはおろか、生きていくことさえままならない。おまけに、時間は待ってくれず、状況は容赦なく進行し、ほおっておけば壁はどんどん大きくなるばかりである。

浦島太郎から抜け出して行く道

この巨大な壁をつき崩すために私がとった方法は、酒を飲むことだった。酒を飲めば、素面では語り合えないようなことでも本音で語り合うことが出来、それによって、二七年のギャップを急速に埋めることが出来るからである。もちろん、酒の力を借りることは必ずしも良いとはいえない。それどころか、精神的にも肉体的にも弊害が伴う。

しかし、二七年ものギャップを前にしては、素面では、どうしても建前の儀礼的な話に終始してしまい、ギャップを埋めるのに計り知れない程の時間がかかってしまう。ところが、すでに五〇歳になっていた私にはとてもそんな余裕はない。そこで、少しでも早く実社会との間に、自分が娑婆にいることを実感できるような、そしてその娑婆で生きていくことができるような現実的な関係を作っていくために、とりあえず飲むことにした次第である。

もっとも、こう書くと、この私がきらいな酒をひたすら苦行のように飲んでいたかのようであるが、そんなことはない。私は酒好きである。おいしい酒には目がない無類の酒好きである。しかも、二七年もの間一滴の酒も飲んでいなかったから、少々の酒で自分を見失ったり酔い潰れてしまうことはほとんどない。身体への影響に至っては全くといっていい程ない。

こういうわけであるから、娑婆に出て来てからというもの、酒を介してかつての仲間だけでなく、それ以外の多くの人達と交流を重ね、それによって、実社会への順応、いわゆるリハビリを行なって来た。おかけで、今ではすっかり「飲ん兵衛のヤス」と言われるようになってしまったが、そのかわり、何年かかるかわからないリハビリを急速に行なうことが出来ている。

この点で何よりも成果があったのは、連赤問題を隠すことなく誰とでも自由に語り合えるようになったことであろう。連合赤軍の崩壊に至る赤軍派の闘争は、三〇年という歳月によって、今では日本の革命運動における歴史的な出来事になっている。しかし、たとえそうであっても、それは日本の戦後史を特徴付ける大事件であり、裁判において「犯罪史上類を見ない凶悪かつ残虐な事件」と断罪されたような面を有している。

当事者の私は、たとえ刑期を終えていたとしても、社会通念的には、仲間殺しの殺人犯であり、連続銀行強盗の強盗犯であり、爆弾製造の爆弾犯である。しかも、かつての仲間を殺された関係者には、持って行き場のない怒りや憎しみ、憤り、悲しみがあるであろう。本来ならば、とても大きな顔をしてお天道様の下を歩けるものではない。このような私と誰もが当時の事を気楽に話し合えるものではない。

ところが、ここに酒が入ると、相手と私の間にある遠慮やわだかまりが急速に取り払われ、本音の世界が現われて来る。連赤に対する疑問や批判ばかりでなく、怒りや憤りが、私にぶつけられてくる。私が経験した過酷な人生への同情やなぐさめの言葉をかけてくれる反面、出獄後の私の姿勢を問題にしてくることもある。

しかし、これらはどれも当事者に対して口に出すことができないでいた思いや吐き出すことができないでいた胸の内をさらけ出すことである。そして、そういうものが私にぶつけられる以上、私もそれから逃げることなく正面から応えていかなくてはならない。まさにこのような本音のところで話し合うことが出来るようにすることこそ、私が外の世界に適応し、浦島太郎的存在から抜け出していく上で必要なことなのである。

酒を飲むのは、これまであちこち出歩いているせいか、買って来るより、スナックや居酒屋などの店に行くことの方が多い。その際、なによりも感じたことは、店の性格が三〇年前とまったく違っていることである。特に飲み方が非常に単純化してしまい、ほとんどが水割りかロックで、カクテルが極端に少なくなり、シェーカーを振るバーテンダーにはめったにお目にかかれないことに驚かされた。かつては女性の中心的な飲み物だったジンライムやジンフィズのようなものでさえなく、肝心のジンを置いてある店も少ない。ジンの好きな私にとって、これはショックだった。

そして、そのジンの代わりに幅をきかせているのが焼酎である。女性が焼酎を飲んでいるということは新聞などで知っていたが、これほどまでに焼酎が一般化しているとは思わなかった。焼酎と言えば、かつてはしがない労働者が仕事帰りに飲む安酒の定番であり、私もよく豚足やホルモンを肴に友人たちと焼酎を飲んでいた。それが、今では酎ハイやサワーなどとして女性の人気の飲み物になっているのである。

しかし、私をなによりも驚かせたのは、かつてはジューク・ボックスやバンド、流ししかなかったのに、若干のバンドを残してすっかり姿を消し、代わりにカラオケなるものが飲み屋を制圧していることである。飲みに行くがカラオケに行くと同義的な意味をもっている現状を前にしては、その是非をうんぬんしても仕方がないが、これは私にとって淋しいことだった。ジューク・ボックスやバンドに合わせて踊る風景も流しの奏でる曲を聞きながら酒を飲む雰囲気も見られなくなってしまったのである。

カラオケは、誰もが本来ならばとても不可能なバンドやオーケストラを伴奏にして歌を唄うことが出来るようにした反面、酒を飲みながら会話を楽しむ場を狭めてしまったように思われる。しかも、カラオケは音程やリズムが決まってしまっているため、自分の音程やリズムで唄うことが出来なくなり、自分の好きな歌を自由に唄えなくしてしまったように感じられる。そんなわけで、カラオケにはなかなかなじめなかったが、それでも誘われるままにおずおずとカラオケで唄うようになった。

最初はカラオケの曲に合わせられなくて、「コリャダメだ」という想いでいた。しかし、他の人が唄うのを聞きながら口ずさんでいるうちに、カラオケに合わせるコツのようなものがわかり、今ではそれこそ歌を唄うために飲みに行くことが多くなっている。これもまた、外の世界へ順応できつつある表れであった。

運転免許の取得とテレビ出演

この酒をめぐっては、この間、実に様々なことがあり、それをめぐるエピソードは枚挙にいとまがない。それについては、いずれ報告する機会があるだろうが、その中で特筆に値することは、昨年の一〇月中旬から一一月末まで、車の免許取得のために静岡市の安西自動車学校に通っている時、技能実習があるというのに朝の午前五時頃まで飲み続け、数時間寝ただけで酒の臭いをプンプンさせながら実習を受けたことである。

そのため、実習の最中に指導教官から「酒の臭いがしますねえ」と言われてしまい、弁解に大わらわだった。当然のことながら、運転はフラつき気味で、その時の実習項目については「了」のマークを入れてもらえなかった。教習所で酔っ払い運転なんてもってのほかというところであろう。

自動車学校での教習は、一ヶ月半という比較的短期間で卒業できたが、実態はとても楽勝といえるものではなかった。特に技能の実習では頭と手と足がバラバラで、同じ失敗を何度も繰り返した。五一歳になって初めての自動車学校通いという年齢的なこともあったであろうが、それよりも二七年の獄中生活で運動神経が退化してしまっていたことが大きい。ここにも二七年のギャップの問題があったのである。というのは、この運動神経の退化をいろいろな面で痛感させられていたからである。

しかし、この自動車教習で何よりも感じたことは、交通法規に則って車を運転することのむつかしさであろうか。なにしろ、かつてゲリラ戦をしていた時には、交通法規に則っていては仕事にならないことをしていたからである。どうしても強引な運転をしまいがちで、このことも技能の習得をむつかしいものにしてしまうことになった。

それでも、指導教官たちは、こんな私に根気よくつきあってくれた。特に二〇〇〇年の一一月五日の日本テレビの「知ってるつもり?!」に私が出てからは態度が一変し、少しでも早く卒業できるように気を配ってくれた。若い人たちばかりの中でただでさえ目立つ存在だったのがよけいに目立ってしまったが、仮免許を取得できた時や卒業試験に合格した時には、皆に拍手でもって祝福してもらった。

一二月一日に自動車学校を卒業し、四日に免許を取得できたが、これによって、この社会で生きていくことができる資格のようなものを得たわけで、免許取得に必要な費用を援助してくれた友人たち、免許取得まで丁寧に教え、励まし続けてくれた安西自動車学校教官や職員の方々に心から感謝している。

それにしても、この免許取得は、アウトロー的精神が身にしみついてしまっている私にとっていささか居心地の悪い思いにさせられる。まだまだ外の世界に順応しきれていないということであろう。この居心地の悪さという点でもっとも大きかったことは、出獄して間もない頃、銀行に自分の口座を作りに行った時である。なにしろ、それまで銀行に入ったのはもっぱら「銀行強盗」の場合だけで、まともな目的で入ったのは初めてだったからである。そのため、銀行に入った時、この私が銀行に入ることが許されるのかという思いで落ち着かず、ガードマンが来て「あなたは銀行に入ることはできません」と言われて追い出されるハメになるか、それとも体が勝手に動いて気がついたらカウンターの上に飛び乗って「静かにしろ！」と怒鳴っているか、いろいろな光景が頭を過ぎった。そのため、口座がいとも簡単に出来た時、なんともあっけない感じがした。

出獄後、私は、とりあえずの落ち着き場所として実家のある鳥取に行き、そこをいわば生活拠点にして、東京を中心に大阪、名古屋、横浜、弘前など全国各地に出かけ、多くの人たちと交流してきた。そして、外の世界への順応に努力し、いつかは原稿が書けるようになるだろうと考えながら、獄中で書いた原稿のワープロ化をしたり、インタビューに応じたりして来た。この予定している原稿は、連赤敗北以降の獄中での歩み、つまり『兵士たちの連合赤軍』の続きと、刑務所における様々な人生模様である。

多くの人からいつ本が出るんだと期待されながら、現状はまだ原稿書きに気持を集中できないでいる。そんな私に業を煮やしたのか、編集者の茂山和也さんがこれまでのインタビューの中の主なものと、私が甲府刑務所にいる間に書いた手紙をまとめて一冊の本にする企画を立ててくれた。

この甲府刑務所で書いた手紙は、検閲というやっかいな事を経なければならなかったため、刑務所の様子や状況を全体にわたって書いてあるとは言えないが、それでもその実態を垣間見るに最適なものではないかと思う。こういう形で当時の手紙が役立つことになったことを考えると、もっと書いておけばよかったと反省させられるが、中にいるとどうしても単調な日が続いてしまうため、書くことがなくなってしまう。

しかも、特筆に値するようなことはたいてい検閲に引っ掛かるため、よけいにそうなる。中にいる時は、外に出てからそういうことを中心に原稿を書くつもりでいたため、それほど手紙を書く必要を感じなかったのであるが、今もって原稿を書けないでいることは私の怠慢と言われても仕方がないであろう。しかし、いずれは書ける日が来るであろうから、読者の方々にはそれまで待ってもらうしかない。

時間のギャップを埋めながら…

これまで各地をフラフラしていた私は、去年の八月から静岡に落ち着いている。原稿を書くことも出来なければ生活の場を定めることが出来ないでいる私を心配した友人たちが、静岡に仕事と生活の拠点を構えることを勧めてくれたからである。静岡は私の生まれ故郷であることもあって、この強引とも思える勧めに従ったが、静岡に来てもうすぐ半年になるというのに、残念ながら静岡に拠点といえるようなものはまだ出来ていない。友人たちの多大な援助によってかろうじて生活を支えているのが現状である。

静岡を私の拠点にすることができるかどうか、それによってこれまでの多大な援助に少しでも報いることができるかどうかは、これからの私の努力にかかっている。私が静岡で車の免許を取得したのは、そのための第一歩と言えよう。

二七年という歳月は、たしかに長い。しかし、中にいる者にとっては、時の流れは単調なため、一年が一ヶ月位にしか感じられない。だから、私にとって二七年は二七ヶ月、つまり二年と三ヶ月でしかない。だから、出獄した時の私は、外の時間の流れからは五〇歳を迎えようとしていたが、中の時間の流れからは二五、六歳でしかない。つまり、これがその時の私の精神年齢というわけである。それから二年、今の私は、精神的には二八歳というところであろうか。これこそ、私の浦島太郎たるゆえんである。

精神的にはこれほど未熟で、しかも古風な私が、五二歳という年齢の下でどのようにしてこの生きにくい現実の社会でやっていけるか、今のところ見通しはあまり立たない。しかし、それでも私は、二七年のギャップを埋めながら生きて行かねばならない。それがとりあえず今の私に課せられていることであろう。いつかは外にいるということを名実ともに実感できる日が来るであろう。その時はまだできていない出獄の挨拶がきっちりとできるであろう。

なお、インタビューと手紙に出てくる人名などでわかりにくい点があると思いますが、詳細は拙著の『兵士たちの連合赤軍』を参照して下さることを希望します。

植垣康博

二〇〇一年一月一〇日

Ⅰ　インタビュー・連合赤軍27年目の証言

初出誌

・「連合赤軍事件と獄中27年」（「『連合赤軍事件』27年ぶりの出獄」を改題）、「創」一九九八年一二月号

・「僕にとっての連合赤軍事件ⅠⅡ」、「しるし」の春想号と紅葉号

・「連合赤軍秘史・番外編」、「Luna-J」（「月光」増刊、通巻一五号）

連合赤軍事件と獄中27年

聞き手　鈴木邦男

■『兵士たちの連合赤軍』について

――植垣さんが出所されたのは一〇月六日ですよね。それから二週間たったわけですが、体を壊されたとか。

植垣　そうですね。二七年ぶりに出てきたので体が慣れなくて。中にいた時はそれなりに規則正しい生活だったんですが、外のリズムと全く違うので体がついていけないんです。

――二七年ぶりに外へ出てみて世の中の状況がだいぶ変わっていたでしょう。

植垣　まあ、外の状況については本などで読んで知ってましたから、その意味で違和感はないのですが、かつて見覚えのあった風景が全くないというのはショックではありますね。

――二七年というと物凄く長いですよね。無期懲役だって一五年か二〇年くらいで出てくるわけでしょう。二七年も入っていた人っていないんじゃないですか。

植垣　政治犯じゃないかもしれませんね。徳田球一だって一八年でしょう。

――しかもその二七年の前に連合赤軍の山岳アジトで地獄のような生活があったわけですね。

植垣　地獄ということはないですが（笑）きつかった面はありますね。

――植垣さんが以前書いた『兵士たちの連合赤軍』（彩流社）を今回、改めて読み直してみたんですが、すごい本ですよね。連合赤軍事件というと、一般には暗いイメージしかないじゃないですか。その前の全共闘運動というのは明るく楽しく、皆がデモに参加して、これで世の中変わるんじゃないかと思ったわけですが、それが七二年の連合赤軍事件で一気に変わってしまった。まだあさま山荘の銃撃戦までは知識人の中にも支持する人はいたけれど、その後、同志殺しが発覚して誰もが見放してしまう。関係者もその後、事件について喋る人がいなくなってしまうわけですね。

植垣　まあ、簡単に喋れるようなことじゃないですからね。

――永田洋子さんや坂口弘さんの本を読むと暗いですよね。リーダーだから自分の責任を問おうとする。読んでいて重たい感じが伝わってきます。それに比べると植垣さんの本は、変な言い方だけど、前半の銀行強盗の話なんて青春グラフィティという感じで、明るくて楽しいですよね。ところが後半、山岳アジトに移ってからは暗く陰惨になってしまう。

植垣さんは最初は民青に入って、その後全共闘運動に関わるわけですが、その頃はごく普通の学生ですよね。

植垣　まあ気楽な学生でしたね。学生運動をやっていても、まだあとがあると思っていた。

――ところが、その後赤軍派に入って、あと戻りできないところまで自分を追い込んでしまったわけですね。M作戦（赤軍派の金融機関からの資金強奪作戦）といって銀行強盗をやったり……。でも植垣さんの本を読むとなんとなく楽しそうに書いてある。銀行強盗に必要な包丁とか、食べるものもみな万引きで調達していた。万引きもうまかったそうじゃないですか（笑）。

植垣　うまかったというか……まあ、万引きができなけりゃ銀行強盗もできないと思ってましたから。

――度胸をつけるためなんですか。

植垣　度胸というより技術を身につけるためと考えてましたね。ゲリラ戦に備えて。

――M作戦とは資金調達が目的なんでしょう。

植垣　もともとはそうかもしれないけれど、僕らの部隊は本来はM作戦じゃなくて爆弾を作るのが仕事でした。ところがほかの部隊が捕まったりしたため、僕らの部隊が銀行強盗をやることになった。結局、僕らの部隊だけが捕まらずに何度もやることになるんですが。

――最初に銀行強盗をやる時にはためらいはなかったですか。これで自分も犯罪者になるわけか、とか。

植垣　それはなかったですね。いずれ軍事行動をしなければならないと思っていたから、それくらいできなくてはゲリラ戦などできないと思っていました。

――でも、よく包丁なんかで銀行強盗ができましたよね。当時はまだ防犯カメラもなかったわけだ。

植垣　防犯カメラの設置とか、警察官の立ち寄りとかいうのは、僕らのM作戦への対応として出てきたものですからね。

――職務質問をされながらすりぬけたりとか、よくやれましたよね。

植垣　まあ、僕らはそれ以前に学生運動をしながらいろんなことを経験してましたからね。その過程で一本釣りされた者が集まっていたわけです。

――銀行強盗をやりながら、それが本当に革命のために必要なものなのか、迷ったこともあるわけでしょう。

植垣　迷ったことはあるけれど、でも僕らの任務は爆弾作りで、実際に調達した金は爆弾作りに回してましたからね。むしろ当時は意気揚揚としてて「ようし、これからや」と思ってました(笑)。

――資金がなくなると、銀行からおろしに行こうか(笑)と。すごいよね、おろしに行こうかってのは。

植垣　銀行強盗ってのは成功させればそれなりにコツがつかめていくんです。

――何がコツなんですか。

植垣　武器の問題じゃなくて、中に入ってからの僕らの態度なんです。それがびしっとしていれば銀行員は動けなくなるんです。もちろん彼らも訓練は受けてますから、非常ベルを押されることは覚悟していた。だから中の仕事を一分以内に終わらせて車を三分以内に乗り捨てる。その頃パトカーがやってくるんですが、あとはおさらばするだけ。

――銀行強盗をそれだけ何回も経験した人もいないですよね（笑）。それも皆革命のためと思っていた。

植垣　革命というより、当時はベトナム反戦、それに沖縄の問題でしたね。

――銀行強盗も一般市民を全く傷つけずにやったわけですね。へたにやって現場がパニックになったら人が傷つく恐れもあったと思うけれど……。

植垣　それはきっちり押さえましたからね。それができないようなら、もうご破算にするしかない。

――そういうM作戦の後、軍事訓練のために山に入るわけですね。あれが僕にはよくわからない。山になんか入らず都市で闘っていた方がよかったんじゃないかと思うんですが。

植垣　いや、山へはこもるために入ったわけじゃないんです。僕らは南アルプスに拠点を作ったんですが、これは一つは沖縄決戦に備えての軍事訓練。もうひとつは武器の調達だったんです。米軍の北富士演習場から武器をとって、南アルプスに貯蔵する。いざとなって撤退を余儀なくされても、三〇〇〇メートルの山奥なら大捜索をされても簡単には入ってこれない。

■「共産主義化」と「総括」

――ああ、そうなんですか。僕は、山奥で軍事訓練して、その後都市に出てきてゲリラ戦を展開するという作戦かと思っていたんですが。

植垣　少なくとも僕らはそうは考えていませんでした。僕らが考えていたのはあくまでも都市ゲリラで、山を使うのは逃げ道としてということでした。撤退することになったら山を越えて権力の包囲網を突破するつもりだった。ただ、実際には赤軍派と革命左派とが合同することになって、僕らの計画はどこかへ飛んでしまいましたがね。

――でも山の中ではずいぶん軍事訓練をしたわけですよね。植垣さんなんか射撃の腕は百発百中だったんでしょ。

植垣　そうでもないけどね。訓練といっても実弾を使うといざという時足りなくなってしまうので、肩当てといって弾を使わない訓練が多かったですね。本当はもっといろんな訓練をするつもりだったんだけれど、そうこうするうちにおかしなことになってしまった。

――逮捕されたことですか?

植垣　そうじゃなくて、例の「総括」ですよ。

　もしそうなってなかったら、沖縄かどこかで銃撃戦で死ぬことになっていたかもしれませんが……。もともと南アルプスの基地は、そのために作ったんですから。

――権力を相手に銃撃戦で打って出るというわけでしょう。でも、それだったらわかるけれど、実際は次々と仲間を殺しちゃったわけですね。それがよくわからない。だって少ない仲間を殺しちゃったら権力と闘うなんてできないでしょう。どうしてそうなってしまったのか。

植垣　まあ、そのへんは苦い話になるわけですが。

――よく言われたのは連合赤軍のリーダー森恒夫と永田洋子の人間性といったことですよね。二人が独裁的で、他のメンバーはすくみ上がって何も言えなかった、と。

植垣　そうじゃないですね。

――でも森さんの性格の問題というのはかなりあったでしょう。

植垣　森さんについてはいろいろ話していかなくちゃならないと思いますが、ただ僕らの部隊は森さんとの直接の交流はそれまであまりなかったんです。森さんから指揮を受ける時も、坂東国男さん（あさま山荘銃撃戦で逮捕され、日本赤軍のクアラルンプール事件で一九七五年八月四日、超法規的処置で出獄）を通じてでした。

赤軍派の議長だった塩見孝也さんが「革命戦争の戦略問題」とかいろいろ理論的なことを当時書いていたんですが、その中に「共産主義化」という考え方があったんですね。最初は抽象的な概念だったんですが、革命戦争を勝ち抜くための英雄的な自己犠牲精神とか献身性とか、それを獲得するために共産主義化が必要だとか、そういう言い方をしていたわけです。

――人間の共産主義化ですね。

植垣　僕らは具体的にどういうことかわからなかったけれど、森さんは彼なりに考えていたんですね。そして軍事基地で革命左派の人たちと共同軍事訓練を行うことになった時、両派の考え方や組織づくりの違いが出てきたんです。

――もし赤軍派が革命左派と合同して連合赤軍にならなければ、あとの悲劇はなかったかもしれない、と?

植垣　まあ今からそんなこと言ってもしょうがないけれど、あの時、森さんは赤軍派の指導者として革命左派をオルグしようとしたわけです。当時、中国共産党が文化大革命でやっていたことを取り入れたのでしょうが、革命左派はメンバーが互いに批判しあうといったことをよくやっていたんです。森さんは、それを共産主義化の方法だ、と評価したわけです。

――それがいわゆる「総括」という方法になっていくわけですね。でも、メンバーに欠点があるのなら組織から追放すればいいわけですよね。それを殺しちゃうというのがわからない。

植垣　いや森さんだって最初からそうするつもりはなかったと思う。

――最初は厳しく総括しているうちに死んでしまったというわけですね。それ自体は、日本共産党のかつての「査問」で起こったことと同じですね。

ただ幹部だった寺岡恒一さんを殺害する頃からは、お前は死刑だと言って行っている。そう言われた時、ほかのメンバーは黙っていたわけですか。

植垣　いや、皆、賛成したわけです。

――もうその時には皆が一線を越えちゃっているわけですか。

植垣　いつから一線が越えられたかということですか、共同軍事訓練は最初、僕らの南アルプスのベースで行ったんですが、その後今度は革命左派の榛名山《はるなさん》のベースで行うんです。森さんら指導部が榛名山のベースに移り、革命左派をオルグしようとしていくわけですね。その過程で、革命左派がやっていた総括を、今度は森さんが彼らに要求していく。そのうち総括が徹底してない、真剣でないといってメンバーを殴るといったことも出てくるわけです。それを通して森さんは赤軍派の指導権を革命左派に持ち込んでいこうとしたんだと思います。その過程で暴力が出てくるわけです。

■一線を越えて相次いだ「処刑」

――確かに他の左翼党派の場合も、敵対する党派の人間を自己批判させるのに監禁したり縛ったり、という例はありましたよね。でも、それを山の中という逃げられない場所で行い、しかも処刑まで宣告するというのはないでしょう。

植垣　実はそれ以前に革命左派はメンバーを二人処刑（一九七一年八月の印旛沼事件）していたわけです。森さんとしては、それに負い目を感じ、自分たちもそこまで真剣にやらなくちゃだめだ、革命組織の規律をそこまで高めなくちゃだめだと考えたんでしょうね。

――でも連合赤軍に関する本を読むと、男女関係がルーズだとか、女性が化粧したとか、そういうことで総括が行われていくでしょう。しかも、総括が始まると死ぬまで責めたてられる。どうも森さんや永田さんの気まぐれで総括が行われていたような気がするんですが。

植垣　いや気まぐれじゃないんですよ。

――でも、誰だって反省すべき点というのは挙げていけば幾つかはあるわけで、その中で誰を総括するかというのは何か根拠があったんですか。

植垣　うーん、僕は森さんじゃないから何とも言えないけれど、根拠はあったと思うんです。森さんが獄中で書いた自己批判書（『銃撃戦と粛清』新泉社に収録）というのがあるんですが、それを読むと森さんなりに根拠があったことがわかるんです。

革命戦争を進めていくためには二つの傾向を克服しなければならない。ひとつは大衆運動主義で、革命戦争は大衆運動とは別の次元でやるべきことで、大衆運動に迎合することは批判しなくちゃならない、というわけです。もうひとつは、軍事だけに頼ろうとする唯軍主義で、これも克服しなくちゃならない。森さんが具体的にどんな革命戦争をイメージしていたかはわからないのですが、彼はその二つを克服するためには、日常生活を問題にしなくちゃいけないと考えていたようなんです。だから、いろんなメンバーの日常生活を見ながら、森さんは彼なりにそれを一つ一つ問題にしていったわけです。

僕らの部隊についていうと、銀行強盗を楽しくやっていたようなところが「流賊主義」と批判されました。いうなれば山賊と一緒だと。

――でも、それは当たってたんじゃないですか（笑）。

植垣　僕らも自認してたんです（笑）。でも森さんから見れば、共産主義的な精神が欠如してるということになる。

――植垣さん自身も何度か総括を受けてますよね。

植垣　女性問題とかね（笑）。追及される要素は結構たくさんあった。

――どうしてほかの人は殺されたのに、植垣さんは助かったんですか。

植垣　僕自身の経験でいうと、自分のそれまでの活動が誤っていたといったん認めると、さらに追及されるんですね。総括を要求された時、自分のそれまでの活動が誤っていたといったん認めると、さらに追及されるんですね。お前のやってきたことはすべて遊びだったのかというところまで追及されていく。自己否定をつきつめていくと、ついには肉体的な否定までいってしまう。

――でも、たとえそれまでが誤っていたとしても、革命戦士としてこれから頑張るといえばいいんじゃないの？　それでは許されないんですか。

植垣　なかなかそういかないんですね。

――でも、例えば警察に捕まって自供して組織が壊滅状態になったとか、警察に情報を洩らしたとか、そういう敵のスパイだと断罪されてというなら、まだわかるんですが、連合赤軍の場合は、日常生活がだらしないとか、そういう理由でしょう。それで処刑されるというのは理解できない。しかも、誰かが処刑宣告された時に他の人たちが「異議なし」と言って賛成するというのがわからない。

植垣　最初に処刑されたのは寺岡さんだけれど、寺岡さんの場合は、警察に全てを売ったとか、追及されたことを全部認めちゃうわけね。そうすると、じゃあこれは反革命じゃないかということになってしまう。だから、そこを認めちゃいけなかったんです。自分のやってきた活動には意味や一貫性があったということを自分で守らないといけなかった。

――何日も何週間追及されても、それに対抗しなくちゃいけなかった、と。

植垣　認めちゃったら終わりなんです。認めてしまったら反革命ということになってしまう。反革命は処刑ですから。

――寺岡さんの場合は、総括ができていないといって追及されるわけですね。

植垣　総括ができていないというのは死刑にはならないんです。縛られるだけ。

――でもそれじゃ総括ができるというのはどういうことなんですか。

植垣　森さんがどう考えていたかわからないんだけれど、縛られても歯を食いしばって耐えぬくとかね。実際には不可能なんだけれど、森さんにとっては、不可能をやりぬくことが総括をやり遂げるということだったのかもしれない。

――森さんが考えていた「共産主義化」というのは現実には不可能なことだったんじゃないですか。

植垣　そうですね。だから実際は、総括を要求されたら終わりだったんです。

――表現は悪いけど、一種の集団狂気ですよね。

植垣　いや、集団狂気とは違うと思う。

　僕の場合はどんな総括要求をされたかというと、「植垣は行動力があるし軍事技術に秀でている」と、まず評価されるんですね。ところがそれが女性問題と結びつけられて「女性にもてたいためにやっているんだ」と、評価の材料が否定のために使われるんです。その否定を僕の場合は認めなかった。それを皆の前で認めちゃうと終わりなんです。

――でも人間って、例えば活動やっているときでも、革命のためにやっているんだけれど、それで女にもてたいとかいう気持ちも、どこかにあるでしょう。

植垣　それはありますね。ただそれを、自分の口から「今までの活動は全て女性にもてたいがためでした」と認めちゃうと終わりなんです。

――でも、銀行強盗をやっている頃までは、そんなことを冗談で言える雰囲気があったわけでしょう。それが山に入ってからは反革命とされるようになった。

植垣　冗談で終わらなくなったんです。

――冗談が通じなくなった。そこが怖いところですよね。

植垣　怖いですね。

■総括をどうやって切り抜け得たか

―― 植垣さんの場合は、総括要求の切り抜け方をどうやって学んだんですか。

植垣　いや、総括を切り抜けるために、と考えたわけじゃないんです。僕は僕なりに自分を総括しなければならないと思っていました。ただ、自分の今までの活動を考えた時に、女性にもてたいためとされてしまうことに納得できなかったんです。恐らく僕がそう考えることができたのは、たくさんの作戦行動を実際にやってきていたからでしょうね。

―― 実績があった。

植垣　ほかの人にはそういう実績がなかった。その違いはあったでしょうね。

―― 植垣さんは爆弾作りやアジト作りといった技術面ですぐれていたから、幹部としてもそういう人がいないと困る。

植垣　僕は実務面をになっていたから、指導部としても総括を延々と続けると実務が中断してしまう。だから僕がそういう任務についている間は総括を免れることができたわけです。

―― でも運転技術を持っている人まで殺してますよね。

植垣　ある意味では、技術を持っている人間ゆえに総括の対象になりやすいということはありましたね。お前は技術を持っているがゆえに総括しようとしないと言われるわけです。

―― 植垣さんは軽井沢駅でたまたま捕まったわけですね。その後他の人も捕まり、最後に残った五人があさま山荘にたてこもって銃撃戦を展開した。もし、あの時植垣さんが捕まらず、あのまま総括が続けられていたらどうなっていたでしょうか。皆が殺しあいをして、最後は誰もいなくなってしまったんですかね。

植垣　どうなっていたでしょうかねえ。

――リーダーの森さんだって永田さんだって、総括すべきことはあったわけでしょう。でも幹部に向かってそれを要求する人はいなかったんですか。

植垣　ひとつの欠点は、当時のメンバーが森さんに依存しすぎていたことですよね。僕らは赤軍派の兵士だったけれど、赤軍派が作られていった過程とか理論的な側面についてはあまり知らなかったわけです。森さんだけがそのへんについて知っていた。

――当時、メンバーが次々と総括されていくのを見ながら、次は俺じゃないかと皆が恐れたと思うんです。でもそれを口にしちゃったら、あるいは総括すべき人間を殴らないと、お前はなんだとなって、次は自分が殺されちゃうわけでしょう。そういう状況の中で、反乱を起こすといった動きはなかったんですか。

植垣　なかったですね。

――抵抗できない雰囲気だったんですか。

植垣　抵抗というより、皆自分の問題をどうするかで精一杯だったわけです。自分自身の問題を考えることから逃げてしまったら革命はできない。総括から逃げてはいけないと皆が思っていたんです。まあ、あとになってからは逃げた人もいたけれど、それは指導部から信頼されていた人でした。逆にいうと、だから余裕を持って状況を見られたのかもしれませんがね。

―― 植垣さんは逃げようと思ったことは一度もないんですか。

植垣　ないですね。ただ、休みたいなとは思っていました。肉体的にはぎりぎりの状況でしたから。

―― でも、そんなことをやっていて、本当に革命とか人間の解放ができると思ったんですか。失礼な質問ですが。

植垣　まあ、こんなことをやっていて本当に革命ができるのだろうかと思ったことはありましたね。だって、一緒に作戦をしていた人間がいなくなっていくわけでしょ。M作戦を実際に担った人も処刑されたりしていなくなってしまう。いったい今後、誰と作戦をするんだと。その点では森さんのやり方がおかしいと思ったことはありました。

―― 疑問を感じても口に出せなかったわけですか。

植垣　そうじゃないんです。

例えば森さんが迦葉山《かしょうざん》に新しいベースを作ろうと言い出したことがありました。僕が調査してみて、ベースを作ってやっていけるような場所じゃないと思ったので、そう言ったんですが、そしたら森さんは「本当にそうか」と言う。その時、森さんは何を考えているんだろうかと思ったんです。もしかすると玉砕を覚悟しているのかもしれない。玉砕を覚悟するならどこにだってベースは作れるわけです。だからそう考えて僕は「いいですよ」と答えた。

植垣　本当に森さんがそこまで考えていたかわからないけれど、少なくとも当時の僕は、森さんがそこまで考えていると思っていました。

――つまり森さんの中に自滅願望のようなものがあった、と。

植垣　その通りですね。

――でもトップがそうだとしたら兵士はたまらないでしょう。

植垣　森さんはかつて組織内で内ゲバがあったときに、一度逃げてるんです。

――それを塩見議長が連れ戻したというわけですね。

植垣　本当は逃げた人間を戻しちゃいけないんです。再び組織の内部に入れてしまうと、その人間は一度逃げたことが負い目になって、その中に全体を引き込んでいく。森さんも逃げたことが負い目になっていて、それが指揮官としての決死の覚悟につながっていくわけです。玉砕しようと考えていたら、もう将来への展望なんてあまり考えなくなってしまう。

――結局、森さんは逮捕されてから自殺してしまうわけですね。

植垣　死ぬ以外ないところへ自分を追い詰めていったんです。それが組織活動で悪い方へ作用してしまった。

――連合赤軍事件について論じる際、森さんだけでなく永田さんの個人的資質についても問題にする人が多いですね。

植垣　永田洋子さんは、森さんの場合とは違うでしょうね。事務処理能力にはすぐれた人でしたが、指導者としてはどうかなという印象があった。逆にいうと、指導者としての重荷を負いすぎちゃって、それが全面的に森さんに頼ることにつながってしまった。もともと革命左派は永田さんと坂口弘さんの指導のもとに活動してきたわけでしょ。その指導者が個人的にも森さんに頼ることになってしまったら、革命左派の人たちは拠り所をなくしてしまう。それが、彼らが森さんの批判にどんどんさらされていくことにつながってしまったのだと思います。

■死ぬことに抵抗はなかった

——山の中に入ってからの生活はどのくらい続いたわけですか。

植垣　最初の一ヶ月は赤軍派だけでしたから、この時は何の問題もなかった。その後、榛名ベースに移って連合赤軍としての生活は二ヶ月くらいでしたか。

——その間、次々と人が殺されていくわけでしょ。よく耐えられましたよね。

植垣　もちろん革命という目的意識がないと耐えられなかったでしょうね。そもそも僕が山に入った時点で既に異様な雰囲気でした。皆が思いつめてましてね。

——一種の宗教団体のようなものですよね。

植垣　それに近いでしょうね。皆がひとつの方向、死の方向へ向かって歩いていたというか。

——仲間を処刑するときに植垣さんはどんな気持ちでしたか。他のメンバーがためらっている時に植垣さんは率先して処刑に加わったとされてますよね。

植垣　率先してやったわけじゃないんですが、皆がびびってましたから……

――そりゃびびって当然ですよ。

植垣　何というか……もうそういう状況になってしまったら逃げてはいけない、身をもって引き受けるしかないじゃないか。皆がためらっている時には軍が引き受けるしかない、と。そんな気持ちでしたね。

　だから僕がその後、処刑について比較的語れたのは、中心的に担っていたからということもあるかもしれない。処刑に賛成しながら、いざやるという時に逃げちゃった人だと語れないかもしれない。僕の場合はもうその時点で一線も二線も越えちゃったわけです。

――それは殺さなかったら自分が殺されるからやるしかない、という意識とは違うんですか。

植垣　違いますね。処刑が決まったらもうやるしかない。処刑することについては僕自身賛成したんだから、決定したことは実行しなくちゃいけない。当時の意識でいえば、それが「共産主義的」なあり方だと思っていました。

　逆に言うと、僕はM作戦の頃から森さんを見ていて、彼は口ではいろいろ言うわりには自分では実行しないという印象があった。それに対して軍を担っていた僕の方には、決定したことはやるという一種の気負いがあったんです。それと同志を殺すからには自分もいざとなったら死ぬ。もう当時は、死ぬことに対して抵抗感は全くなかったですからね。本当はもう少し余裕を持たないといけなかったんでしょうが。

決定に従うのは当然と思ってましたが、ただ一方で僕は、処刑される恐れのある人に対して、できることなら逃げてくれという気持ちもありました。例えば革命左派が二名を処刑した時、森さんから僕らの部隊にも処刑せよという指示が来ていたんです。ある夫婦に対してね。だから僕は彼らを部隊からわざと排除したんです。

―― 林さんという人がパニックになって警察に電話しようとしたりしたのを見て、森さんが殺しちゃえ、と命令した。それに逆らって植垣さんが逃がしちゃうわけですね。その時は森さんに逆らえたわけですか。

植垣 その時は森さんがその場にいなかったからできたんです。そこは大きな違いでした。

―― 後に処刑されていった寺岡さんなどは、死ぬのなら革命戦士として死にたかったと言って死んでいくわけでしょ。革命のために銃をとって戦闘で死ぬのなら納得できただろうけれど、仲間に処刑されてしまうのでは哀れすぎますよね。

―― 植垣さんは用事で軽井沢に出て逮捕されたわけですが、それがなかったらあさま山荘の銃撃戦に加わってましたよね。

植垣 いや、あそこで僕が捕まったからあさま山荘に行き着いてしまうわけです。

―― でもああならずに総括が続いていたら最終的にどうなったと思いますか。

植垣 最後は何らかの形で打って出たでしょうね。同志を殺害したのがまちがっていたと総括して、例えばパレスチナへ渡った日本赤軍がテルアビブでやったような作戦をやったでしょうね。

――つまり、銃撃戦をやって自滅すると。

植垣　撃ち殺されるまでやったでしょうね。

――ただわからないのは、そうやって死をも覚悟して革命をめざした戦士たちが、逮捕されると多くの人が自供してしまったことです。

植垣　どうして皆がそんなふうに簡単に崩壊しちゃったかというと、その「共産主義化」の論理は、結局、自分のそれまでの活動を否定しちゃうものでしょう。だから守るべきものがないんですよ。

僕が自供したのは少し事情が違っていて、もちろんずっと黙秘していたんですが、森さんが自己批判した上申書で、遺体を遺族に返してやってほしいと書いてあるのを見せられたことですね。それを見たら頭にきちゃって、黙秘してる意味はない、自供してやれという気持ちになったんです。あんなことで組織を崩壊させたことに対する恨みもありましたしね。

■殺害した相手の人生も引き受ける

――ちょっと失礼な言い方ですが、永田さんや坂口さんの本を読むと、自己批判の色合いが強いんですが、植垣さんの書いた本は、同志殺しについても淡々と書いてあるじゃないですか。自分が同志を殺したことについての反省が薄いんじゃないかという人もいますね。

植垣　僕は自分の自己批判を読んで判断してもらうんじゃなくて、やった行為を知って判断してもらいたいと思っているんです。なんでああなったのか考えるためには、自己批判ばかりしていても弁解になってしまう。それよりもどんなことが行われたか事実を提供することが僕にとっての自己批判だと思っています。

恐らくその違いは、当時そういう処刑を含めた総括を僕自身が担ったからではないでしょうか。担っていない人だと、そこに逃げ道が見いだせるから、どうしても弁解をしたくなる。その意味で僕には逃げ道がないわけです。当時から逃げないで関わろうと思っていたし、関わったからこそ事実は率直に提示しようと考えてきました。殺した以上は、その相手の人生も引き受けなくちゃならない。そう考えてきましたから。裁判闘争もそういう意識でやってきました。

――植垣さんは分離裁判にしていればもっと早く出られたわけですよね。僕から見ると、それにもかかわらず永田さんや坂口さんに義理立てして統一公判を続けたのかなと、そう思えるんですが。

植垣　いや、そんなことはありません。ただ、森さんが自殺（一九七三年一月一日、東京拘置所で）し、同じ兵士だった青砥君が分離裁判に移ってしまう、さらに板東国男君がハイジャック闘争の結果出て行ってしまった。そうすると国内に残ったのは僕だけになってしまった。裁判の場で連合赤軍事件を国家権力側が好き勝手に裁くことに対して対抗するのは僕の役目になってしまったわけです。

僕にとっては二七年間獄中にいて、連合赤軍事件について総括することから本当に革命についての勉強が始まると思っていました。

――植垣さんは七〇年頃にも一年ちょっと捕まってましたよね。その後、連合赤軍事件で二七年間獄中にいた。人生の半分以上を獄中で過ごしたわけですが、今ようやく出てきて、これから何をしようと考えているんですか。何か考えていることはあるんでしょう。

植垣　もちろんあります。でも具体的に何をやるかというより、日本の今の思想状況は壊滅状態でしょう。その中では、これからの日本の変革を考えるための思想を作っていくことがまず必要になる。それが僕のこれからの仕事じゃないかと思っています。

■連合赤軍とオウムの類似点と違い

――連合赤軍事件とオウム事件を似ているという人は多いんですが、植垣さんは違うという意見ですか。

植垣　いや、似ている点はあると思います。ただ決定的な違いは、大衆を傷つけたかどうかじゃないですか。僕らの場合は大衆を傷つけるというのはありえなかった。

――でも仲間を殺してるじゃないですか。

植垣　いや、仲間だから殺せたんです。大衆のために闘う人間はそれなりの責任も負う。だから総括も必要になる。当時はそう考えていたわけです。

――オウムのように大衆を傷つけるのはありえないと。でも機動隊は殲滅して当然だと思っていたわけですよね。

植垣　機動隊との対決は戦闘の場合だから別です。ただ中核派なんかが今でも殲滅戦をやるとか言ってますが、実際は相手を殲滅するというのはそんな簡単なものじゃないでしょうね。

（すずき・くにお、元一水会代表、一九九八年一〇月二三日）

僕にとっての連合赤軍事件（1）

聞き手　高橋　檀

■二六年八ヶ月の獄中生活

――植垣さん今日は。随分お元気そうですね。

植垣　はい、僕は獄中にいる間、健康には随分気をつけていましたから病気などはしなかったんですけれど、一九九八年の一〇月六日に刑期を終えて娑婆に戻ってからは酒も煙草も……美味しいし……。とにかくまったく元気そのものです。

――本当によく召し上がるし、よく飲まれるし、健啖家でいらっしゃいますね。それにしても拘置所と刑務所、あわせて何年拘束されておられましたか。

植垣　七二年二月一九日に逮捕されてから拘置所に二一年二ヶ月、九三年三月に刑が確定してからは刑務所に五年六ヶ月、合計で二六年八ヶ月ですね。

―― 植垣さんは懲役二〇年ということだったでしょう。それが二六年八ヶ月も……？

植垣　アッハッハハハ……そうですね。

―― その辺をね、そういう生き方を選ぶ植垣康博さんという方の人間性というものの正体を今日はお伺いしたいと思いますけれど……まずどういう罪状でしたか。

植垣　僕の起訴罪名は殺人八、死体遺棄が一一だったかな、それから強盗致傷、強盗、窃盗、銃砲刀剣類等所持法違反、火薬類等取締法違反、爆発物取締罰則違反、森林法違反、それから公務執行妨害、あとなんだったかなぁ……覚えきれない。訴因数は三一ですね。

―― 坂口弘さんの重罪五五というのに比べれば可愛い……か。

植垣　そう、まったく少ない……。

一審判決では懲役二〇年、未決算入が一五〇〇日。一審の裁判は一〇年掛かったんですけれど、一五〇〇日しか認められなかった。

控訴審は検事控訴がありまして、もちろん自分でも控訴しましたけれど、どちらも棄却されました。控訴審の期間は検事控訴がありましたから当然全期間未決算入されました。

上告審は量刑だけの問題ですから、量刑だけだと上告出来ないので検察側は上告しなかったんですけれども僕の方では上告して、そして上告棄却。未決算入が二一〇〇日くらいだったかな、要するに上告していた期間がほとんど未決算入されたんですよ。それで残刑が五年半になった。僕は半分ももらえないだろうって思っていたんですね、だから一〇年くらいになるのかなぁと思っていた残刑が五年半ということになった。
　そして甲府刑務所に下獄した……と、そういうことです。

■なぜ長期裁判にかかわったのか

――植垣さんは連合赤軍事件の裁判で統一公判で赤軍派の一員としての責任を最後まで担われた。そしてその一方で裁判の間、一貫して革命左派の指導者であった永田洋子さんをサポートするという立場を取って来られました。それはいい換えれば裁判の場では坂口弘さんと対立するということだったわけですね。

　この「しるし」は坂口弘さんを支援するというよりは大きな罪を犯した息子を支え続けておられる坂口さんのお母さまである坂口菊枝さんの姿勢に共鳴するという考えでずっとやってきておりますし、坂口さんが朝日歌壇に投稿していた短歌を通して連合赤軍事件に関心を持たれた読者の方が多いのです。ですから植垣さんに登場して頂くということはそれなりに複雑な状況があるのですけれど、連合赤軍事件の真相を知りたいということでは植垣さんは立場の違いを踏まえたうえできちんとお話し頂ける方だと思いましてインタビューをお願いいたしました。その私の申し出の趣旨と立場をよく了解してくださったうえで気持ち良くインタビューに応じて頂けることになりまして、それで今日、私は随分意気込んで参りましたと言いたいところなのですが、本当はちょっと怖い……。

植垣　アッハハハ……。

――植垣さんは裁判の間、ずっと永田さんを支えてこられたということを私たちはマスコミの報道を通して、それから植垣さん、永田さんそれぞれの著書を通して知っているわけですけれど、マスコミを通して私たちが持ってしまっている印象と植垣さんの本当の気持ちとは相当ずれていると思うのです。その辺からお話しいただけますか。

植垣　連合赤軍事件の統一公判の場で、そしてそれ以外の場でも、僕が永田さんをサポートしたかと言われると確かにそういう面はあります、だけど僕としては単に永田さんをサポートしたということではない。連合赤軍事件の全体を考えようとする時、その中でも特に革命左派の問題を考えようとする時に、永田さんも坂口さんもなかなかその問題を扱い兼ねている……扱いきれないでいる、僕としてそう感じる状況があったんですね。

そうであれば革命左派の問題はむしろ赤軍派の僕の方が客観的に見ることが出来るのではないか、僕はそう考えて赤軍派の立場から革命左派の文章を読んだり、僕なりに革命左派の闘争史を評価しながら連合赤軍事件に至った過程を見ていくという作業を通して、連赤問題を赤軍派の側からだけではなく革命左派の側からも見ていくということをやることになったと、そういうことなんです。

――なぜそうなったのですか。

植垣　まず赤軍派側からの問題として、森恒夫さんが亡くなってしまった、裁判も始まらないうちに自殺してしまった……。それから坂東国男君はクアラルンプール事件で出国してしまった。では誰が連赤問題をちゃんと扱っていくのかと考えたら結局は僕が頑張って行くしかなくなったということですね。

もう一方でさっきも話したように連赤問題を革命左派の側から見ていくという作業も必要だということになるんだけれども、それを永田さんも坂口さんも担いきれないでいる。坂口さんは森さんの「遺稿」(『遺稿　森恒夫』査証編集委員会　七三)と「自己批判書」(『銃撃戦と粛清』に収録)を一生懸命読み込んで解明したと言っているけれども、僕は坂口さんの解明の仕方は事件全体の流れを客観的に見るという作業に欠けるのではないか……と思っている。僕は、単純に個々の現象だけを捉えるのではなくて革命左派が持っていた問題を徹底して突っ込んだかたちで扱う作業をする、そういう意味では僕は自由に見られる立場だったと思う。そしてその作業を通して永田さんと……それから坂口さんの立場をも弁護していくことが出来るのではないかと、考えたわけです。

僕がなぜそう考えるようになったかと言いますと、森さんが亡くなったことによって事件全体の責任が永田さんひとりに重くのしかかっていく、永田さん主導というかたちで事件の構図を描こうとしていく、そういう状況になりそうでした。でもそれは無理のあることなんですよ。そういう形で裁判が進んでいくことに対して赤軍派の主導性をはっきりさせる作業が必要だと……僕はそう思った。

確かに結果的には僕が永田さんをサポートすることになったのだけれど、僕は赤軍派の立場から赤軍派の主導性を明らかにしていく作業をやる、基本的にそういう考えで裁判に関わってきたということなんです。

――でもそれにはふたつの問題がありますね。ひとつは永田さんはともかく坂口さんにも担いきれない問題だとおっしゃいますけれど、いまおっしゃった植垣さんの基本的な姿勢があれば坂口さんと対立する関係にならないで三人で協力しあって真相の解明にあたることが出来たのではないかということ、いまひとつは永田さんとの法廷での態度はどういうことだったのかということになりますけれど。

植垣　坂口さんには革命左派の問題は担いきれないと僕が判断したのは、坂口さんの法廷での態度が切っ掛けになっているんです。坂口さんは裁判の初期のころは革命左派の指導者であった川島豪（一九七〇年当時、横浜拘置所に収監されていた本人を獄中から奪還するように獄外に命じたことによって革命左派は武装闘争へ入っていく）一辺倒ですし、またそのことをごり押しする。その自分の意を押し通すために自分に不利なことを言いそうな人の証言を止めさせようとする、そのためには出廷拒否までする……。そして僕たちも結局はそれを飲まざるを得ないような状況を作っていくということがありました。

　そういう坂口さん態度を見ていると、彼が事件当時の問題を全面的に切開して総括していく気持ちがないいんだなと思わざるを得なかったことは確かなんです。

もちろんその後、彼の考え方も立場も変わっていくんですけれど、その変わりようがまた、裁判に向かう姿勢を含めて問題を完全に切開しない形で個人の責任を云々するというやり方でしたから……。

それからもうひとつ、坂口さんは赤軍派の問題を理解しきれない状態で革命左派だけの問題として事件を扱っていくという姿勢がありましたから、僕はこれでは坂口さんには事件全体の総括は担いきれないのではないかなと、そう判断した。協力してはやっていけないと……。

――そう判断されたのはいつごろのことですか。

植垣　比較的早い時期ですね、一審のころ、七〇年代中頃のこと。

七七年ころから坂口さんは法廷で永田さんの責任を追求するということをやり始めましたけれど、そういうことはやりたければやって頂戴としか対応のしようがないことですね。そして僕はそういう形で裁判をやるのはおかしいと思った。

でも坂口さんがそうする以上は拒否することは出来ない。彼がやりたいようにやるしかないんだけれども、逆に僕にとっては新しい難題が出来たということでもあるわけです。坂口さんがドンと問題を突き付けてくる、僕の方はそれをどう扱って行けばいいのかと考え込んでしまう。そういう形で僕の連赤総括というのは進んで行ったわけです。

例えばね、とくに永田さんに関することなんだけれども、坂口さんからいろんな形で問題がドンと出される。問題が出されたら僕はそれを乗り越えていく、そうすると必ずまた次の問題が出される、またそれを乗り越える……。そういうことの繰り返し。そして遂には一審判決……と。二審でもまったく同じような状況だったからまたそれを乗り越えなければならない。僕は裁判の間、坂口さんから出される問題を乗り越えるというかたちで総括してきたわけですよ。言換えれば坂口さんから出される難題があったからこそ僕は総括を進めることが出来たんですね。

坂口さんの総括の仕方がどうだという問題ではなくて、彼がいろんな形で出してくる問題を受けとめて僕は自分自身の総括を永田さんの問題をも含めて、深めていく。

彼の法廷での闘い方が僕の総括を深めていく上でのハードルになった……。もちろん、そうしたハードルは、坂口さんからだけでなく、塩見孝也さんからもあったし、そのほかいろいろな形でありましたけれど、裁判の場でということでは坂口さんからのものが大きかったですね。

――ハードルというのは良い意味での……？

植垣　そうなんです、そういう受けとり方をしては坂口さんから見れば面白くないかもしれないけれど、とにかく出された問題は僕なりに受けとめて行こうと思った。

――そういう受けとり方、全体の流れとして物ごとを受けとめていくということは苦手ですからね、坂口さんは。

植垣　そうですね、だから坂口さんはそういうやり方には不満だったと思いますよ。だけど彼がハードルを次々に設けてくれたことが僕にとっては良かったと思っているんです。

――さっきからお話しを伺っていて感じるんですけれど、物ごとをそういう風に前向きに受けとれる植垣さんだから二六年以上も獄中におられてもお友達がたくさんいるんでしょうね。

植垣　多分そうだと思います。僕は問題を吹っかけられたらそれは乗り越えるべきものだという風に考えるわけですね。

――それも前向きにね。

植垣　そう、そこから逃げてはいけない……、怒ってもいけないと。永田さんもその気持ちはあるんです、だけど乗り越えられない……、アッハハハ……。

彼女はずっこけてしまうという……そういう人なんです。

■永田洋子さんのこと

――永田さんが問題を乗り越えられないでずっこけてしまうのはどうしてですか、能力の問題……?

植垣　能力の問題ではないと思うんですよ。

――では彼女のなにが問題ですか。

植垣　彼女自身に自分の問題を総括していくという気持ちがあってもそのための努力をしようとしない、そういう問題があると思う。

――でも彼女は自分では努力をしていると思っているでしょう。

植垣　自分では努力しているつもりなんだけれども実際には努力が実らないでいる。たぶん彼女自身の問題がいろいろあると思うんですよ。それは彼女の内心の問題だとかそういうことではなくて、左翼運動をいろんな広い面からみていくための経験が永田さんにはない。その経験の違いではないかと思うんですよね。

僕は最初、大衆運動から入ってそれから党派運動にも関わって両方やっているわけです、だから物事を客観的に大きい目で見ることが出来る。しかも赤軍派と言っても僕の場合兵隊なわけですね。ノンセクトの兵隊がたまたま赤軍派に関わって赤軍派の軍の兵隊活動をした、そして結果的には赤軍派の闘争をほとんど全部引き受けて責任を取ることになってしまった。そういう経過がありますから、その分僕は赤軍派のことも客観的に見られるという面があるわけです。そういう立場というのは経験の違いだとしか言いようがないのかなと思う。

――　でも永田さんも坂口さんも労働運動から出発してきているでしょ。

植垣　うん、労働運動をやって来てはいるけれどもメインはやはり革命左派の活動家、党員ではないですか。それが基軸になっているんだよね。だから彼女たちは大衆運動の労働組合活動をやっていれば、物凄い活動家になれただろうと僕は思うんですよ、そういう能力のある人たちなんですから。

ところが党派ということに関わったことによってまず自分たちが持っていた能力を育てる芽をなくしてしまった。そして党派の考え方も身に染みついちゃった。それを乗り越えて行くには、党派活動から離れた党派に依存しない大衆運動の経験がないとなかなか出来ないんじゃないかと僕は思っているんです、要するに大衆の中で揉まれるということが必要だと。

　ところが彼らは揉まれるということがないまんま、責任を取らなければいけないという重圧だけがどんどんかかって来るようになってしまったということですね。だからその重圧のまえに足踏みしてしまっている、そういう問題だと僕は思っている。

――永田さんが担いきれないでいるという部分にね、あの若さで非常に偏った社会的な経験しかないままで閉鎖された環境に閉じ込められちゃった。それから裁判が延々と四半世紀も続いた。そうすると獄中に入ってくる情報は自分に都合の良いものしかない、あるいは自分に都合の良いものしか受け取ろうとしないようになっていくじゃないですか、そういう獄中生活の閉鎖性ということは関係ありませんか。

植垣　確かにね、獄中に居ると入ってくる情報は限られていて自分に都合の悪い情報は入らない面はある。それに加えていろいろみんなと一緒にワァワァと、ああだこうだと言い合ったり、人の言ったことに一生懸命答えようとしたりとか、そういう人間関係で努力するという場がないわけですね。

　だけどいろんなかたちの出版物、とくに敵側の、右側の出版物は世の中を見ていく、それも批判的に見ていく上でとても役に立つんですよ、批判力はそこで身につくわけじゃないですか。それからもうひとつは論争ですね、連赤問題を巡る論争を僕はいっぱいやってきたからそう思うんだけれども論争というものは自分を研いてくれます。

――植垣さんはそうおっしゃるけれど、永田さんも坂口さんも自分では論争していると言っているけれども、本当に論争する姿勢というかそういう態度は養われていないと思うんですね、さっきの坂口さんの法廷での態度を伺っても……。

植垣　確かにそういう面はありますね、それはまあ個人差はあると思います。だからね獄中の閉鎖性をどのように受けとめて行くかということも含めてそれぞれその人の持味の問題だと僕は思う。

――じゃぁ、永田さんがハードルを越えられないのも彼女の持味……？

植垣　彼女がそういうハードルをなかなか越えられないのは、森さんの責任だという形で語りきれない面があるからじゃないかと僕は思うわけですね。あれは私じゃないということを表立っては言えない。あれやったのは私じゃないと、彼女は時にそう言うこともあるんだけれど、全体の流れを通してそうは言えない立場だと思っている、そういう問題もあると思うんですよ。

――全体の流れとしては連合赤軍事件は赤軍派のというか森恒夫さんの責任であった？

■赤軍派の一員としての責任のとり方

植垣　誰が主導したのかあるいは誰の責任かということは、連赤総括においてはそれほど重要なことではないと思うんですけれど、法廷の場などでそういうことがさかんに問題にされるようになって、僕としても無視出来なくなってしまったんですね。しかも永田さんの主導性、責任を問題にしようとして、連赤問題が歪曲されていったために、連赤総括のためにもそれに正面から答えていく必要が出来てしまったわけです。それでも総じて言えばあの問題は赤軍派が主導してやったことだと、個々の問題を見れば革命左派がやった問題もあるけれど、全体の流れを見たときには赤軍派の責任というものはこれはやっぱりものすごく大きい……ということはそれなりにみんな自覚しているはずなんです。

――その自覚に立って植垣さんは赤軍派としての責任を一身に引き受けてこられた。

植垣　そう。結局そういうことになってしまったということです。

――まわりのひとたちは、その作業に向う植垣さんの姿勢は理解しておられましたか。

植垣　それは多分赤系の人間、赤軍派の人たちはそれなりに理解してくれていたと思います。誰かが責任もってやらなければならないということは分かっているわけで、やぱりあいつがやるかと……アッハハハ……。

――もうひとつに個人の責任ということで早くに反省を表明して分離裁判をして刑が確定して早々に社会復帰している人たちもいるわけですけれども、その人たちに対して植垣さんはどう思っておられましたか。

植垣　僕は分離していった人たちについてはあまり考えなかった。確かに気持ちのうえではいろいろありますよ、でも僕は「まあいいんじゃないの」と思う質なんです。分離したければどうぞ分離してくださいという感じで……。

何故そう思ったかというと、全体を担うというのは簡単な問題ではないわけですよ。どうしても統一裁判でやろうとすれば連赤全体を扱わなければならない。これは相当の覚悟がいる、時間もかかる、だから普通ならばそれこそ五、六年の刑で出てこられる人が下手をすれば二〇年も獄中に入っていなければならない。そういうことを考えたらこれはもう本人の意志で関わるしかないんですよ。

―― 植垣さんは本人の意志でずっと関わってきた、そして二〇年が二六年八ヶ月。

植垣　そう自分の意志で……ハハハ……。

でもそれは同時に亡くなった、僕たちが殺してしまった仲間に対する想いというものがいちばんの基盤になっている。どういうことかと言えば彼らにみっともないことはしたくないということですね。それから、彼らを殺すことになってしまった僕ら自身の闘争や組織のあり方を明確にして、それを克服していく方向を追求していかなくてはならないという、そういう気持ちが強くあって僕はずっとやってきたんです。

―― でもね、一審のころ、二審のころもそうでしたけれど永田・植垣の法廷での態度が悪いとかマスコミでも言われてましたでしょう。判決文にも「呵呵大笑し……」と書かれていませんでしたか。それはいま伺った植垣さんのお気持ちとはまったく違うと思いますけれど。

特に永田さんとは法的に結婚までなさって……。

植垣　それはね、まったく違います。

　まず彼女とはいろんな事情で法的に結婚するに至っていないんです。

　それから法廷での態度はどういうことかというと、永田さんは話し掛けてやったりしないと崩れちゃう人なんですよ。最初のころ統一組だった吉野雅邦君（無期刑が確定し服役中）もよく分かっていたと思うのだけれど永田さんは出来るだけ声を掛けてやらないと身体の調子が悪くなる、そして崩れちゃうんですね、調子が悪くなってなにも出来なくなる。

―― でもそれは身体の不調の所為だけではなくて永田さんが人間として自立出来てないということではないですか。

植垣　そういう面もあるかも知れない。だから吉野君は、永田さんはやっかいな問題にぶつかったりすると身体の不調に逃げてしまうと批判するようになってしまったわけですね。でもやっぱり身体の不調は大きかったと思う、脳腫瘍の……。

　それに永田さんが身体の不調に逃げてしまわざるをえないようなやっかいな問題に対して、僕たちの側から答えていく、そして永田さんの負担を少しでも軽くしてあげるという努力があってもよかったのではないかと思う。

　そして彼女に倒れられると事件全体の総括が出来なくなる、それは僕としては無茶苦茶困ることなわけです。森さんがいなくなったうえに永田さんにまで倒れられるのは……ということです。

——その植垣さんの気持ちは一審のころの裁判所の受けとめ方がだんだん変化して最終的に未決算入数に反映されたのかしら。

植垣　それはなんとも言えないけれどもただ、一審の頃は裁判官によって連赤裁判にかかわる姿勢はかなり違っていました。山本（卓）裁判長や石丸（俊彦）裁判長の時にはまだそれなりに連赤問題を究明しようという姿勢があったんですね。それが判決を出した中野（武雄）裁判長になってからは、そういう姿勢が急になくなってしまって僕たちを敵視して裁判を早く終わらせることしか考えなくなった。永田さんの身体の不調についてもずっと仮病だと決めつけていましたし、それが判決での永田さんへの中傷的な批判や、僕への少ない未決算入数となったのでしょう。

二審の時も、はじめはそうした姿勢が続いていたんですけれど途中から、僕が証言している時は裁判官も結構一緒に笑ってくれたりとか……裁判所は僕の発言は良く聞いてくれていましたよ。

■森恒夫さんのこと

——連合赤軍事件に関わった誰にとっても森さんが自殺してしまったということは大変なことだったんでしょうけれど、植垣さんにとっても取り返しようのない大変なことだったと思うんですね。お聞きし辛いのですけれど植垣さんは森さんが自殺したことも含めて彼の責任というか森さんの人物像をどのように受けとめておられますか。

植垣　難しいな……。

——そんなに難しくない……、だってきっとそのことをずっと考え続けておられた筈だから。

植垣　高橋さんはね、核心に迫ることをまるで何でもないことのように淡々とというか、さらっと聞いてくるから、僕はドキッとしてしまう。

態勢を立て直さないと……。

——はぁ……?

植垣　僕が森さんから受けていた印象は、物凄く巨大な人という感じでしたね。

なぜ巨大な感じがしていたかというと、森さんには赤軍派のややこしい理論をそれなりに文章化する能力があったからだと僕は思うんです。だから彼は指導的な立場になることが出来た。森さんは赤軍派の政治局員という立場なんですけれど、なぜ政治局員になれたかといえば文章化出来る能力がかわれたからだと思うんです。

いまひとつ森さんは人が話すことの欠点を見抜く力がすごかった。僕たちが持っている曖昧さとか中途半端さとか、はっきり言えば相手の欠点を見抜く力がすごかった。これは多分党派の活動家としてやってきたことによって鍛えられた能力だと思う。党派闘争というのはいかに相手の弱点を突いていくかという……それが党派闘争だみたいなことになっちゃっているから。要するに人の語ることのどこに曖昧さがあるかということを見抜く力が森さんにはあった。そしてそれは挙げ足を取るように追求するのとはちょっと違ったんですよ。人の欠点を見抜く力がすごい、まるで僕たちの心を見透かされているような、そんな気持ちにさせられるような、本当に曖昧さを許さないというようなものでしたね。

　でもあの当時の森さんに対する僕の印象は、刑期が終わって外に出てきてからみんなから聞いたのと全然違うんですよ。みんなの話を聞いていると森さんは優柔不断で嫌なことに出会うとそれから逃げようとする人だった、そして行動力もそれほど無い人だったと、いろんな人がそういう。でも僕から見るとまったく違ったわけですね、それで森さんはそんなに弱い人だったのかと……そう思った。

――その物凄く巨大だという印象は山にいる間もずっと……？

植垣　そうでしたね、だから山にいた間、森さんの威圧感に圧倒されないようにどこで自分を踏張るかということになる。僕の場合は踏張るものを持っていたということなんだけれども……。

――なにが植垣さんの踏張るもとだったんですか。

植垣　それは僕なりに主体的に担った闘争があったということですね。全共闘運動については、森さんはほとんど評価していなかったから、それは自分を支えるものとはなりませんでしたけれど、赤軍派での僕たちの闘争については、僕たちの部隊の闘いが赤軍派を支えていた面がありましたから、森さんとしてもそれを頭から無視することは出来ないわけで、それが僕の支えというか、自信みたいなものになっていました。だから、それをも否定していまうような森さんの批判に対しては、僕はそれを認めないという姿勢を貫くことが出来たわけです。

森さんの威圧感に圧倒されないようにする、これが僕なりの対応の仕方だったわけなんですけれども。

当時、僕なりに感じていた森さんの弱点はなにかというと行動に計画性というものがまったくない、なにか決めてもすぐにそれを反古にしてしまう、そしてまったく別のことを言い出す。だから行動がものすごくいい加減で計画性がない。

具体的にいくつか例を挙げると、炊事はみんなでやろうと決める、でもすぐに森さんは自分はやらなくなる……、山で生活するのに必要だからみんなで道を作ろうと言い出して、でもいつのまにかそれが駄目になる。そんなことばかり続いたら兵隊の方は大変で怒っちゃう、そんなことの繰返しだった。

軍事行動についても、方針というか指示がクルクル変って僕たちはそれに随分振り回されてしまったわけですが、今から思えば森さんには一貫した軍事計画というものがなかったわけで、自分なりに決定したことがあったとしても、獄中の幹部から批判されるとコロッと変えてしまう、そのために兵隊のほうで計画したり準備したりしていたことをまた始めからやり直す、そういうことがよくありました。

——それでも森さんに従いていったわけでしょう。

植垣　森さんに従いていったというのとはちょっと違うんだよね。

僕はよく森派、森派って言われるんだけれども、僕は森派の一員だという気持ちは全然なかった。それはどういうことかといえば森さんは党の政治局員、要するに党を代表する、代表していた人なんですね、だから彼の言うことは僕たち兵隊からすればいろいろ問題を感じてもとりあえずは従わなければならない、そういう感覚はありました。

この間テレビで、中国共産党の兵隊なんかも党の命令は絶対だ、だから我々は不満に思ったことでも実行しましたと、そんな話をしているのを聞いて、僕たちと同じだなぁーと思った。あのころの活動家のイメージというか感覚として、党の決定したことは絶対だという気持ちはすごく強かったですね。

――でも外側からというか私のような一般人から見ると党だとか政治局員だとか言っても、なんでそんな……学生の組織だったわけでしょう? クラス委員だって同じような感じじゃないかなって思ってしまうんだけど……。永田さんも革命左派の委員長にくじ引きで決まったっていうことでしょ。決める時にね、あいつちょっとなんだから……あいつに押しつけようということしょっちゅうやるじゃないですか、そんな感じでみんなで選んでおきながら、政治局員だぁーって言うのは……?

植垣　僕はいろいろ見てきたから言えるんだけれども、革命左派の場合は永田さんは委員長というかたちではあったけれども、すくなくとも委員長になってから彼女自身を含めてみんなが彼女を支えて行くという気持ちでやっていたという感じはありましたね。

でも森さんの場合は違った。僕たちは森さんは完璧に雲の上の人だという感覚で見ていたもの。

―― はぁ、雲の上の人……ですか。

植垣　それはもう初めからそうなの。この人に近付いては不味い、という感じ。

―― 近付いては不味いなって……？

植垣　あんまり近付かないようにしようと……そういう感じ。

まず僕は森さんに会ったことがないんですよ。僕が最初に会ったのは七一年五月ころ、山梨県石和のアジトにどういう理由でか分からないけれど森さんが来て坂東と話をして帰った、それを脇からみている……、ただそれだけ。あぁ、あの人が森さんですか……？　政治局員の森さんか……と。

―― その時はどういう感じでしたか。

植垣　それはもう威風堂々としていて「おっ、お前！」という感じでね、「お前らなにやってんだ……？」、顎で「フン！」って、そういう感じでしたね。

その次に会ったのは福島県の山の中の駒止という所で七一年八月ころのことですけれど、そこで僕たちは森さんの指示で駒止峠の森の中にキャンプを張ってそこを基地にして白河の方の駐在所の警官から拳銃を奪うという作戦を計画、準備していましたね。そこに森さんがやって来て僕たちの部隊を直接に指揮するということがありました。この作戦は結局いろいろな悪条件が重なって中止することになるわけですが、そのあと九月下旬に東京青山のアジトで僕は森さんの日常生活の世話をするということをやりました。そうするといろいろ今まで持っていた印象と実際の姿との開きが分かってくる。そういうことが続くとすごく消耗するんですよ。森さんが駒止に来たときになぜ僕が消耗したかというと、僕のやることが無くなっちゃうんですよね。本来僕がやっていたはずの作戦計画やなにかを全部森さんが次々と決定していく、そうすると僕のすることがなんにもなくなる、洗濯だけやっているとかね……。さらにその流れの中で森さんの生活の世話をするということはそれでは一体僕は何なんだ……ということになって、そういう意味で森さんとの接触で物凄く消耗してしまったというのはあります。

だけどそれは森さんを否定するということではなくて、ああいう人はどこか実務に関わらない場所に居てもらって文章を書いていてもらって、我々の活動には関わらないでもらいたいというそういう感覚、その程度の感覚しか持てなかったんですよ。だから森さんから「ガッ！」と言われれば僕たちは「ヘイヘイ」としか言えなかった。「ハイハイ、その通りでございます。」という感じ。そういうふうに僕は森さんを見ていた。だから当然強い人だろうと思っていた。そしたらあの逮捕直後の「上申書」でしょう?

ええ!?　てなもんですよ。

森さんの「上申書」と自殺

植垣　あの「上申書」を読めば初めから悪いのは僕たち、僕たちが悪人で、森さんは物凄い善人だと……、そうでしょ？　裁判所を通して遺体を御遺族に返してやってくれって言うのは。

遺体を返してやってくれって言うのは僕たちに自供せよと言うことじゃないですか。森さんは遺体の埋葬にまったく関わっていないから誰の遺体がどこにあるのかをまったく知らないんだから。

それで僕は「そういう態度を取るんか……。」と思ったわけです。山で仲間にさんざん自供問題で〈総括〉要求していたわけじゃないですか、それなのに……と。

そして頭にきて……、自供してやろうじゃないかということになって僕は自供した。あとであの自供は不味かったなと反省することになるんだけれども。

だからその後、森さんがフラフラと行方定まらずといった感じで総括の方向も見えてこない、そういう森さんに対してかえって僕たちの方が遠慮する、こういうこと言っては悪いんじゃないかなとかそんな気持ちでいた。そしてあの自殺になったということです。

森さんが自殺する前の年末に「自己批判書」が差し入れされていたんですね、コピーなんだけれど分厚いやつが。それ読んでいると僕でさえ気持ちが暗〜くなってくるわけね。そんな時だったんですけど「臨時ニュースを申し上げます」と言ったところでラジオがプツンと切られたんです。

それだけでもう分かった、森さんやったんじゃないかって。自分として自覚できるほどの感覚ではなかったけれど、森さんはもしかしたらやるんじゃないかなって、そういう気持ちは充分あったから……。「自己批判書」にも、私がおめおめと今生きているのはどうのこうのと書いてある、即自殺するというようなことを文章で書いているわけじゃないですか。だからね、物凄く暗〜い、当時のあの山の暗〜い雰囲気を思い出させられたり、あの雰囲気が蘇ってきたりしていたんです。

だけど森さんが自殺をした時には、森さんがそういう精神状態になっているということへの思いやりをもっとしてあげる必要があったのではなかったのかと僕は思ったんです。僕たちがあまりにも遠慮しすぎたのではないか、森さんに問題をぶつけていく、そして彼がそれに答えていく、自殺なんてしている余裕はないという状況を作っていったほうが良かったのではなかったかと僕は物凄く反省している。

——植垣さんは森さんに対してなにも言わなかったんですか。坂口さんはいろいろきついことを言ったと……。

植垣　だけど今から振り返れば、誰もそんなにきついことは言っていない。坂口さんは自分の手紙が切っ掛けで森さんを自殺に追いやったのではないかと思っているけれども、その手紙をあとで読んでもそんなにきついことは書いてないもの。森さんはあんなもので自殺に追い込まれるような玉じゃないと僕は思っている。

やっぱり森さんという人は重圧というか自分で責任を担いきれない弱い人やったんやなぁと、僕は思う。

——弱い人……？　植垣さんがさっきおっしゃった最初のころの印象と違うじゃないですか。

植垣　だから自殺した時に森さんは弱い人だ……と気がついた……。

さっきも言ったように、あの当時から森さんよりも立場が上の人たちは森さんは弱い人だと思っていた。だけどそういう人たちはあの頃もうほとんどが逮捕されてしまっていたから僕たちはそのことに気がつかなかった。

■山で行われたこと

——それでは、森さんが自殺したことが非常に弱い性格のあらわれだということを踏まえて、山の中でどうしてあんなことになったですか、本質的には弱い森さんの主導で。

植垣　……アッハッハハハ……。それはそんなに簡単にはね……。

高橋さん、さっきも言ったでしょ。きつい質問をそんなふうにサラッとしないでね。

——それはそうかも知れないけれど……これが私の持味……。

植垣　やはりいちばん大きい問題は彼の〔共産主義化〕の論理をポンと持ち出すことによってみんなを圧倒しちゃったことだと思います。

山で〔共産主義化〕と森さんが言い出した時、それは個人個人の努力の問題だったわけですね。僕たちは努力するけれども森さんにその努力では駄目だ、駄目だと言われたら、もっと努力しなくちゃいかん、もっと総括しなくちゃいかんと、そういうふうにどんどん状況を主導されていく。そうすると、ことの是非をめぐって判断する余裕が無くなるというか判断することが出来なくなるんですよ。それは個人個人が自分につきつけられている問題に縛りつけられていってしまうというか……。早い話がというとおかしいけれど、僕たち自身が山で進行していく事態を批判的に見るという立場を最初から放棄しちゃっていた。

批判力は僕たちは本来持っていたはずなんですよ。そうでしょ？　大学闘争をやる、そこで批判力とか判断力とかは養われるじゃないですか。そして運動に関わって行く、それからほかの党派と論争したりとか、学生大会とかでガンガンやる、そんな風に鍛えられているはずなのになぜ党派に関わったことでそういう力をなくしちゃうんだろうか。

あの時、なくしてはいない、持ってはいたんですよ。ただその力を自分で生かそうとしないというか、生かそうと努力しなかった。

そのことこそ総括すべき、欠けていた努力なわけですね。

――その批判力は山で総括ということが始まった時点で急になくなったんですか。

植垣　ひとことで言えば進行している事態を批判的に見る機会がなかったという面もありますね。状況がドンドンドンドン進行していっちゃう。立ち止まってそのことを見て考えようとしている間にドンドン次の問題が出てきちゃっている。森さんが事態をドンドンドン進めていく、僕たちはその進行していく事態についていくのに精一杯だった。進行している事態をちょっと批判的に見るという機会がなかったということなんですよ。

――仲間が次々に死んでいっていても？

植垣　そのことは、強いていえば自分の総括問題だと考えようとした。要するに仲間を殺しちゃった、これは僕たちの責任だという、そういう自覚はなかったから。こういう風に彼らを死に追いやったのは、僕たちがまだ総括しきれていないから彼らを死に追いやったんだと……。いや、そうではなくて、仲間が総括してる間、その人を総括させきれないまんま死に追いやっちゃったと考える、そうするとその人を死に追いやってしまった以上は、自分の問題をきっちり総括することがより大切だ、と。自分はより厳しく総括を問われるんだと。

そういうように全体を批判的に見るのではなくて、自分の問題として受け入れよう受け入れようと努力するわけですよ。そちらの方向に努力するようになっちゃう、だから日常の作業とかを一生懸命頑張っちゃう、どんな仕事でもね、例えば薪拾いとか、洗濯とかそういうことを一生懸命する……。そうすることで自分は総括するために努力しているんだという気持ちだった。

――でもね、きわめて単純に人間としてなんか変なことしてるなって思わなかったですか。

植垣　それは思いましたよ。変なことしてるというよりこんなことやっていて一体どうなるんやろうって。だからいつか終わる、いつかは終わるってそんな祈るような気持ちなわけ。とにかく終わる時までは耐えていようと……そういうことなんですよ。

——繰返して聞くことになるんですけれど、それまで耐えるんじゃなくて、いまちょっと立ち止まってみようとかそういう気持ちにはならなかった？

植垣　ならなかった……、いや、なれなかった……。

——なれなかった……？

植垣　うん、そこにやっぱり僕たちの同志を殺していくということに対しての自覚のなさというのか、殺しているということに対する自覚のなさというのかな……なんていったらいいのか……、要するに殺したいという気持ちでやっているわけじゃないんですよ。

　気持ちとは違う方向に状況が進行していっちゃう、そうすると立ち止まる余裕がどこにも出てこないんだよね。

　だから山から逃げ出した人いるじゃないですか、彼らはどこで逃げようと決められたかというと、外に行った時なんですよ。

——用事があって……？

植垣　そう、用事を言付けられるのは指導部に信頼されているということでしょ、買物とかに行ってこいと言われる。そんな人がそういう時に山での出来事を振り返るわけ。僕の場合も山岳ベースの調査に行って戻ってくると、状況がさらに進んじゃっているわけですね、ドォンーと。出掛ける前とは開きが出来ちゃっている、そのギャップというのはやっぱり大きいんですよね。

その一番の例が山田孝さん（最後に総括された幹部）だと思うんですね。山田さんは森さんの用事で外に出ることが多かったんですよ、彼が出掛けている間に総括ということが進行してしまっているわけです。彼が山に戻って来たらもう何人かは死んじゃっている、そのギャップは大きいですよ。ドンと新しい壁が出来ていて、新しい雰囲気になっちゃっているわけですから。外に行く前に自分が知っていたのとは全然違う雰囲気が出来ちゃっていて、その雰囲気の違いというのか、そのまったく違う雰囲気にドンと圧倒されてしまって……

——永田さん、坂口さん、そして植垣さんのご本を読んでいますとね、山田さんの総括の場面が何というか……総括されている山田さんの様子がなんかチグハグなんですね、今のお話で分かったような気がしますけれど。そうか……まだ私たちにまったく分かっていないというか、ちがった見方がありそうですね。

■一審判決について

——このように冷静に事件全体を見つめてこられた植垣さんからご覧になって悪名高い一審判決はどのように感じましたか。

植垣　一審判決に対しては怒りを感じましたね。

——比較的本当のことを言っているとは思いませんでしたか。

植垣　ぜんぜん思わなかった。判決文は全体の流れを永田さん主導ということで書いているでしょ。

だからまったく問題にならないですよ。あとひとつには、共産主義化の総括要求を個人の感情、そして資質的なものとしている。もちろん資質の問題もあるとは思うけれど、仮にそうだとしてもそれは第三・第四の原因であって、いきなりあの事件を資質の問題であるというのはおかしいですね。政治的、思想的な総括の方向がまったく見えてこないですよ。そういう方向の総括が必要でなくなってくるわけですから。

　もちろん感情の問題もあると思いますよ、だけど僕たちの見方は感情はあくまでも思想のひとつの表現形態だということなんですね。その人の内面の、内面の思想的な、核心になるような思想というのかな、そういう問題も見ていかないとやっぱり全体は見えてこないということではないかなと思っている。

――　それを伺うとずっと永田さんを支えて裁判を担ってこられたというあたりも何となく分かるような気もするけれど。

植垣　そうですか……。

――　でもねぇ、そこまで自分を殺して……。

植垣　いや、僕は自分を殺してなんかいないですよ。僕は自分で一生懸命やっているだけですから。

　僕は連赤総括を革命の問題として扱うことが面白かったんですよ。連赤は規模は小さいかもしれないけれど、でもスターリンの粛清とか中国のプロ文革とかあるいはポルポトの問題だとか全部同じ質の問題だと思っている。僕は連赤があったことによってそういう社会主義の大量虐殺がどういう問題なのかということを考えていくことが出来るようになったんです。だから僕は連赤の経験を踏まえた形でそれらの問題を研究する。そしてその研究の成果を基にして連赤問題をより普遍的な形で総括していく。そういう作業に取り組んできました、八〇年中頃以降のことですけどね。僕としては、これによって多くの犠牲を出してきた二〇世紀の社会主義の問題を総括し、社会主義の新しい方向を見いだしていきたかったわけです。

そういう形にしないと革命のこれからの形は見えてこないじゃないですか。

――でもね、もういちど嫌なことききますけどさっさと反省して、さっさと出て、あとの人生を有意義に過ごしたほうが良かったんじゃないかという見方だってできるわけでしょ。

植垣　ただそれはあくまでも仮定の問題だと思うんですよ。僕はともかく連赤があって、これは革命の問題もきっちんと勉強していかねばならないなと思った。それまで僕はもっぱら物理の方の人間だったから、事件の後で革命の勉強を本気で始めた。

――拘置所というのは勉強するにはいい所ですか。

植垣　勉強というか研究するにはいい所だ……。

もちろん欠点はあります、世の中で揉まれながら総括出来なかったという面は確かにあります。ただそれに代わるだけの論争を僕はしてきました、ということです。

――いま外に出られてご自分のいままでの生き方はやっぱり良かったと……？

植垣　良かったとか悪かったとかではなくて必要ではなかったかと思っている。誰かがやらなければいけない仕事だったと。赤軍派でだれもやる人がいなくなったからということもありますけれど。

もちろんかつての赤軍派の誰かれも個人個人でそれなりに反省したり……一生懸命やっていると思います。そしてその反省を踏まえていろんな生き方をしていると思うけれど、公に発言出来るようなかたちでの総括は誰かがやらなければいけない。

――それを担わなければいけないと……?

植垣　初めはそんな自覚はなかったですよ。でもいつのまにか担っていたというか、誰もいなくなってしまって……。

僕は昔からそうなの。学生闘争の時もね、最初ほかの人が一生懸命やっているのにくっついてちょこっとやってやれって、そんな感じでいたのがいつのまにかみんないなくなってしまっている……。

――ハッ～!　あさま山荘の時だけはちょうど良い時にいなくなって……逃げちゃってるじゃないですか。

植垣　逃げちゃって……じゃないでしょ、捕まって……。

――アハハ……捕まってにはちがいないけれど……。

あれで植垣さんがあさま山荘の中にいたら事件の全体がもっと違ったものになっていました

ね。

植垣　そう、かなり違っていたと思う。あそこで闘うことは贖罪にはなったと思いますからね、だから僕はいたかったわけです。

――あさま山荘での五人の闘いは贖罪になっていたと思いますか。

植垣　今から見ればなっていなかったけれども、やっぱりあさま山荘事件はあれがあったことによって連赤は救われたと思っている。あの闘いがなかったら結末はもっと悲惨だったと思う。確かにあさま山荘事件に対する判決は厳しいものがある。だけれどあれがあったことによって我々は救われたなと思っている。

――これからはどうなさるのですか。

植垣　永田さん坂口さんが再審に向かって、一緒に再審を闘えるような状況を作っていきたい。なんらかの形でふたりのこれからの闘いに出来るかぎり協力していきたいと思ってはいるんだけれど……。

――それは……それは……強力な助っ人の登場ですが、どうかよろしくお願いしますね。

今日はほんとうにいろいろお話し頂きましたけれど、どの問題もやっと入口に差し掛かったという感じですね。またいつか、もっと個々の問題を掘り下げてお伺いしたいと思いますけれど……。

植垣　アッハッハハ……インタビュー何回でもいいですよ。

高橋さんと話しているとね、この人は左翼活動とか党派とかそういうことをまったく経験したことがない人なんだな、ということがよく分かるんですよ。そういう経験が少しでもある人は絶対にこんな素直なというか率直な聞き方はしない。だから高橋さんに質問されるのは僕にとって新鮮な、そして大きなハードルだ……新しいハードルが出現したと……。

僕は幸いプレッシャーに強いというかプレッシャーが好きな人間なの。そういうわけでご質問、お待ちしますよ。

――いやいや、本当にありがとうございました。

（一九九九年一二月一九日）

僕にとっての連合赤軍事件(2)

聞き手　高橋　檀

■坂口弘さんの再審請求

――植垣康博さんには「しるし　春想号」にご登場いただきました。あのおりは本当にありがとうございました。

坂口弘さんに関わっている支援誌としては対談の相手が画期的で、それに加えて連合赤軍事件の全体像を知る上で大変読み応えがあったというご感想をたくさんお寄せ頂いております。それらのご感想にはさまざまに深い意味合いがあると思うのですけれど、私たちは連合赤軍事件の真相を知りたいという点で可能なかぎりの努力を続けたいと考えておりますので、そういう見地からはこの間の対談は大きな切っ掛けになったのではないかと思っています。

そして対談の最後に、「永田さん坂口さんが再審に向かって、一緒に再審を闘えるような状況を作っていきたい。なんらかの形でふたりのこれからの闘いに出来るかぎり協力していきたいと思って」いると話してくださったので私は大変心強く思っておりました。

ところがその後、坂口さんの再審に関して大きな動きがありました。

皆さまも新聞などで既にご承知と思いますけれど、坂口さんの再審請求申立書が六月二日（二〇〇〇年）に東京地方裁判所に提出されました。

そして植垣さんが新しい証拠のひとつとして爆弾の性能に関する陳述書を書くという形で坂口さんの再審に深く関わってくださることになりました。

それで今日は坂口さんの再審請求申立書の提出に到る経緯、その背景、そして植垣さんはそのことをどう感じておられるのかということなどをお話し頂ければと思います。

植垣　いやいや……本当に思いがけない展開でした。

だけどその話に入る前に、この間の対談では僕は自分の気持ちをありのままにというか随分好き勝手な発言をしましたから高橋さんは大変じゃぁなかったですか?

――まあ、ちょこっと感情的な反応がね……ありました。

それは坂口さんのお母様を支えているはずの支援誌に坂口さんとは裁判の間、あまりよい関係ではなかった植垣さんがなぜ登場したのかということに対して……ですね。

植垣　統一公判の間の僕たちに対する坂口さんの気持ちがどうだった、こうだったということは僕にとってはそんなに大きな問題ではないんです。裁判の間、坂口さんと敵対していたなんて僕はまったく思っていないから、そういうことはあまり気にしてはいない。そして高橋さんに関しては「しるし」を創刊以来ずっと読んでいましたからどういう人なんだろう、こわい人だろうな……という種類の興味はあったんですよ。

――こわい人……？

植垣　いやいや……ハッハッハ……。

　でも会ってみると気持ち良く話せる人でした。だからインタビュー何度でもいいですよとつい言ってしまった……ワッハハハ……。

　僕はね、感情といったようなものはもうとっくの昔になくなっている。だから坂口さんの再審に僕が必要だと頼まれれば強いて断わる理由はない、と思っているんですよ。

　再審の場合は被告人がなにを主張したがっているのかということはあまり主要なことではない。新しい証拠を出してその証拠に基づいて争っていくわけですからね、坂口さんがいま何を考え、何をしようとしているのかということは再審自体にはあまり関係がない。再審をやっていく上で問題になるのはどれだけ新しい証拠を出せるかということですから、その限りであれば僕はいくらでも協力出来るということです。

　そういうわけだから僕が坂口さんの再審に関わることにはさして違和感を持たない。

――でもね、第三者の立場から見ればあの長かった統一公判の間、永田さん植垣さんと坂口さんとはずっと総括の仕方で相反する立場で来られたわけでしょう?

植垣　さっきも言ったように僕は統一公判の間、坂口さんと敵対していたつもりはなかったんだけど、もし外側から見て敵対しているように感じられたとしたら、それはこういうことです。

　連合赤軍事件の裁判をいい加減なかたちで終わらせたくないという気持ちで僕はずっと裁判を闘ってきた。そして坂口さんが進めていたような裁判方針には同意出来なかったということです。総括の仕方だけではなくて、裁判を闘う方向性も違っていたという、それだけのことなんです。

　そしてその方向性の違いはなにも坂口さんとだけ違っていたということではない。

　僕は連合赤軍事件というものを〈裁判の場で総括していく〉という僕としての決着のつけ方を貫いた。そのために、統一公判から分離していった人たちをも含めて、いろんな人たちと対抗しながらやって来た。だから僕は表立って批判することはしなかったけれど、僕の総括の仕方を基本にして、そして常に他の人たちをも念頭に置いて裁判を闘ってきたんですよ。

　それだから今さら、感情を基準にするそういった種類の反応に拘泥するつもりはない……アッハッハッハ……。

――ハァ……!?

私はこれから植垣さんには連合赤軍事件についていろいろお話をうかがおうと思っておりま

したのに今度はもっと大変なことをやっていただくことになってしまって申しわけないなと思いました。

植垣　いやいや、そんなに感謝されるほどのことではないし、それとこれはまったく別のことだから。

——そう言っていただくと気持ちは少し楽になりますけど。

■なぜ安田好弘弁護士に依頼したのか

——坂口さんのご意向で再審を安田好弘弁護士にお願いすることになりました。

死刑執行廃止運動の旗手・活動の牽引者である安田先生のお人柄は「しるし 哀痛号」でご紹介しておりますけれど、その安田先生に坂口さんがご自分の再審を依頼したことを植垣さんはどう受けとめておられますか?

植垣　それに関してね、まず僕の方から高橋さんにどうして坂口さんが安田さんに再審の弁護人を引き受けてもらうようになったのか、その辺りの状況を伺いたいですね。

——アララッ……いきなり直球が飛んできた……。

植垣　少なくともこれまでの坂口さんの裁判の方針、方向性から見ればどうして安田さんに引き受けてもらうようになったのかということが僕としては意外なんですよ。ある意味で安田さんに引き受けて貰うということは坂口さんが法廷の場で反省をしてきたこれまでの裁判での態度を一八〇度引っ繰り返すことになるわけでしょ？
そのことを坂口さんはきちんと了解しているのか、その辺が僕にはちょっと判らない。
それからもうひとつ、この前の刑の執行（九九年一二月一七日）の持つ意味がいろいろ言われているでしょ。無意味な再審を繰り返す死刑囚は再審中でも刑を執行するぞとか、同じ事件で死刑判決を下された複数の死刑囚は同時に刑の執行をするという原則なのをこれからは無視するぞとか、権力側のそういう意志表示がされたんだという意味で象徴的なケースだったということがさまざまに取り沙汰されている。

最近は刑が執行されるつど、其々のケースが持っている意味合いが非常に意志的で、権力側のやることはまったくなんでもありという感じですからね、そのあたりも坂口さんはきちんと理解しているのかという心配もある。そうだからといって悲観的な見通しばかり立ててもどうにもならないんですけどね。

――伊東良徳弁護士（連合赤軍事件の上告審の坂口弘の弁護人）は最初から坂口さんの再審はあさま山荘事件の事実関係の掘起こししかないというお考えで、吉野雅邦さんに面会されたりして準備を進めておられたんですけれど、坂口さんの目からは殆ど進展が見えないという風に映っていたらしくて随分苛立っておられたんです。「しるし 春想号」はそういう状態、坂口さんの苛立ちが極限状態になっていた頃に発行しましたから助命嘆願の署名を提出することが出来たことに対してのご挨拶が掲載出来なかったんですよ。

そして坂口さんは安田先生に自分の再審を引き受けて頂けないかとお手紙を書かれたんです、四月末のことでした。ただその時も坂口さんはあくまでも山岳ベース事件を中心に永田さんと一緒に再審をしたいというお考えでした。

私には坂口さんがどうして安田先生を撰んでお手紙を出されたのかは分からないのです。

植垣　安田さんはすぐに引き受けて下さったのですか?

――　はい。そしてたちまちのうちに弁護人七名という弁護団が組織されたということです。ですけれどその弁護団としても坂口さんの再審は山岳ベース事件ではなくあさま山荘事件でないと闘いようがないということです。

植垣　それは高橋さんとしては思いがけない展開でしたか?

――　そうですね、あれほど可能性のない山岳ベース事件を前面に出して安田先生にお願いをした。その坂口さんの願いを安田先生が即座にお引き受け下さったということにまず驚きましたね。私がそれを知りましたのは五月上旬のことですが、その後すぐ出来てきた申立書はまったくあさま山荘事件が中心でしたから、坂口さんの中であれほど拘泥していた山岳ベース事件は何処に行っちゃったのかな……!?　って不思議な気持ちでしたね。

安田先生にお会いした時に即座にお引き受けになられたお気持ちをお尋ねしましたら「とにかく、ここに困って助けを求めている人が居れば救けなければいけないでしょ……」と仰いました。具体的なことは後から考えればいいということで、取りあえず困っている人からの依頼は無条件にお引き受けになるということでしたから、私はそれはそれですごいことだなぁと納得してしまったんですけれど。

植垣　でも、安田さんに関わってもらうということは死刑判決というか日本の死刑制度と真っ向から対決していくということになるわけですね？

――はい、これまでの伊東先生の方針、そして「支える会」の考え方をすこし説明しますと、例えば坂口さんの刑の執行停止嘆願の署名簿を法務省に提出する時も、国会議員で華々しく死刑廃止を掲げて活動している方々の助力を得るというようなことも控えて、なるべくひっそりと提出をしましたけれど、それは目立って死刑廃止を唱えたりすることは権力の側からみれば目の上の瘤だと、そういう見方もあるのではないか？

　権力の側が反発を感じているそういう立場の方たちのお世話になることは反って危険ではないのかという考え方もあり得るわけですね。そういった非常にデリケートな部分の判断を「支える会」としてはずっと積み重ねてこれまでやって来たんです。

　ですから大声で死刑廃止を唱えるのではなくて、淡々と反省の態度を示して、事実をありのままに支援者の皆さまに伝えていこうということでやってきましたから死刑廃止活動をしている団体との関わりも極力避けるようにしていたんです。

　坂口さんの歌集（『坂口弘歌稿』朝日新聞社　九三年）を出す時も、坂口さんの短歌が朝日歌壇に掲載されておりましたころから高名な歌人の方々の助力を得るようにという有形無形の圧力がありましたけれども、歌人として華々しい印象を世間に与えるというような形ではなく、出来るかぎりひっそりと穏便な形で出版するという道を撰んだわけです。

それは「坂口菊枝さんを支える会」は、二審の時の坂口さんの〈真摯な反省〉の態度というものを活動の基準にしているからなんですけれど、今回、坂口さんがそうはしないという全く違った方向を撰んでしまったわけです。

私が申し上げられるのはこれくらいですけれど。

植垣　坂口さんが死刑判決と真っ向から対決していくという方向で再審をやることになると、じゃあこれまで坂口さんが裁判でやってきたことは結局はその場凌ぎに過ぎなかったのかということになるのではないかと、僕にはそう感じられるんだよね。

――実を言いますとね、再審のことが報道されましてから「坂口さんはいさぎよく刑に服するという態度で今までずっと来ていると思っていたのに、どうしたの？」という質問をされまして私たちがお返事に困るという状況はあります。

いさぎよく刑に服するのがいいかどうかという問題はまた別にありますけれども。

植垣　そりゃ高橋さんたちは返事に困ると思いますよ。坂口さんは二審の時も上告しないで刑に服するって言っていた。それが死刑判決のあと、すぐ気が変って上告審をまた僕たちと一緒にやることになった。もっともそういうことが悪いというのではないけれど、それじゃぁこれまでのあの反省の態度表明は一体なんだったんだという不信な感じを持ってしまうわけです。二審の時に坂口さんが反省を前面に打ち出して法廷で発言してきた内容、あれはなんだったのかと……。

連合赤軍事件は世間からどのように批判され、扱われても、歴史的な政治事件であることに変わりないわけで、僕たちの言動はどんな状況にあってもそれなりに誠実な一貫性が求められると僕は思うわけです、特に裁判というような場においては。

■ルビコンを渡ってしまった?

植垣　そういう見地からすれば、今度の再審請求で坂口さんにとって不利なことは僕たちがそう思うだけではなくて権力の側だって不思議に思うだろうということなんだよね、これは怖い……。

坂口さんが今まで法廷の場でやって来たことはなんだったのか、今回の選択はそれこそ今までの苦労を無駄にしてしまうことではないのかと僕は心配している。

今回の坂口さんの選択、再審の方向性を含めての選択が、はたしてよい方向に向かうのかあるいはそうではないのかという判断は非常に難しいと思いますね。

坂口さんは危ない橋に足を掛けてしまったのではないのかと……。

――ルビコンを渡ってしまった……?

植垣　それが今後、どういう形で示されてくるかは分からないけれど。

もっとも刑の執行という事態を前にしてはどんな方向も大差なくて、これで大丈夫という方向はないとも思いますけどね。

特にやっかいなのは坂口さんは統一公判の二審の時、検察側の調書を自分に不利なことも含めて、これ認めます、あれも認めますという感じでやって来たんですよ。さっきも言いましたけど、僕は法廷での態度というようなものは常に一貫性を持っていないと拙いと思うわけです、特に権力との関係に於いては。

坂口さんがその辺をどこまで考えて方向転換をしたのか、本当のところ方向転換したのかそうではないのか、そこのところも僕には判らないけれど。要するに今回、坂口さんはこれまでの裁判姿勢とはまったく違う方向でやっていくということですからね、行動に一貫性というものがまるでなくなる。

そのことを坂口さん自身しっかり自覚してほしいと思いますね。


――弁護団もそのあたりは分かっておられる?


植垣　裁判記録を読み始めてそれが分かって来たから、困ってしまっているわけ。

二審の時の坂口さんの法廷でのいろんな形の反省の態度が再審を闘っていく上で常にネックになってしまう。再審ではそれを引っ繰り返していかなければならないわけですから。

例えば民間人で亡くなった田中保彦さん（七二年二月二十二日、狙撃された新潟のスナックバー経営者）という人がいましたね。その田中さんの殺害に関することも、確か二審の法廷で坂口さんは検察側の言い分をすべて認めて謝罪している。それを再審ではあれは傷害罪だ、という形で闘っていくわけですから、坂口さん自身がそのことをきちんと納得して自覚出来ているのかという心配は非常にあるんですよ。

何回も言うけれど再審は新しい事実関係の掘起こしだから、その意味では坂口さんがどういう反省をしていようが関係ない、という見方も出来ますよ。そうだからこそ僕も関われるわけで、坂口さんの反省の度合いをはっきりさせていくということであれば僕も関わりようはなかったと思いますよ。

そうでない限り僕はいくらでも協力する。

だけど坂口さんから見れば不本意な部分もあるかもしれない……とも思う。

■統一公判でのあさま山荘事件の扱われ方

―― 坂口さんは安田先生に引き受けて頂きたいとお願いする時も一貫して山岳ベース事件中心にやりたいと言っていたわけですけれど、再審弁護団の方針はあさま山荘での銃撃戦の実態を明確にしていくということで、それは別の見方をすればあさま山荘事件というものが統一公判の間、一審でも二審でもほとんど問題にされずに来た。

そして上告審で伊東先生が探く関わって下さるまではあれだけ大きな事件であったにも関わらず殆ど審理の対象になっていなかった。その部分を再審で問題にしていくのであればそれは裁判をやり直すんだというふうに受けとめればいいのかなあと考え直しているのですけれど、ずっと裁判でご一緒だった植垣さんからご覧になってその辺はどのように思われますか?

植垣　あさま山荘事件に関して統一公判の間、坂口さんはあまり争うという姿勢がなかったんです。その結果、あさま山荘事件がいい加減なかたちで終わってしまったということは事実としてあるんですね。だから、どうして裁判をああいう形で終わらせてしまったのかということを坂口さんがきちんと自覚しておれば、なんとか良い方向に持っていくことは出来るかも知れない。

何度も言いますけれど、そのためには裁判であさま山荘事件をあまり争わなかったということを坂口さん自身が自分なりにしっかり捉え直す必要はあると思いますね。

――あさま山荘事件を裁判でほとんど争わなかったということですけれど、一審・二審がそれぞれどういう状態だったかということを少し具体的に話していただけますか?

植垣　一審のときはあさま山荘の銃撃戦の実際の状況のことなどはあまり問題にしなかった。それは弁護団の基本方針が内乱罪を適用せよというかたちだったからなんですけれど。

――内乱罪を適用せよ?

植垣　そう、内乱罪が適用されると山岳ベースでの総括要求も、あさま山荘の銃撃戦も、さらにはその他の爆弾闘争やM作戦もすべて一括して内乱、ないしは内乱の準備として扱われることになりますね。そうなるとそれぞれの事件での実行行為がどういうものであったかということは裁判の場ではそれほど問題ではなくなるわけです。問題になるのは私たち連合赤軍、あるいは赤軍派、革命左派がなにを目的に闘おうとし、かつ闘ったのか、それはどのような闘いなのか、そのためにいかなる準備をしたのかということが問題になるということです。

――それは裁判の内容にはどういう影響がありましたか?

植垣　個々の事実関係はあまり重要ではないということになりますね。要するにあさま山荘の銃撃戦の場合、銃撃戦自体がどういう規模のものだったか、権力側にはどういう意図があったのか、権力側の関わり方はどうであったか、そういう点を主要な問題にしていこうとしたわけです。だから公判の場では個々の証人を申請しなかったんですよ。検察側の証人に対する反対尋問でも具体的な事実関係の追求もほとんどしませんでしたね。

確かに個々の証人の証言は主要なことではないという考え方はあったんです。それに加えて坂口さん自身が証人を呼ぶことに対して消極的だった。

例えば牟田泰子さん（あさま山荘事件で人質となった山荘の管理人）を証人に呼ぶということに坂口さんは一貫して反対していた。僕にはよく分からないけれども、山荘にいた間に後々裁判になっても牟田さんを法廷には呼ばないという約束をした……ということでしたけど。

だから山荘内部の状況を具体的に問題にしていく、検証していくということは全然なかったわけです。個々の射撃の方向とか、標的とかそういう具体的な検証は殆どしなかった。例えば射殺された警察官はどの方向から誰が撃ったのかというようなことは検証調書を裁判所がそのまま採用した。一審の裁判はその程度のレベルでやっていたわけです。

――内乱罪が適用されると首謀者以外は死刑が適用されないということもありますね?

植垣　そうですね、弁護団としてはそれが大きかったと思います。

二審になって、内乱罪を適用せよという考え方はなくなりました。まったくなくなったというわけではありませんが、少なくとも坂口さんの側ではなくなりました。だから二審では殺意の認定が出来るか出来ないかとか、そういう審理の方向はあっても良かったのではないかと僕は思ったんだけれど、坂口さんの方でそういう審理はやらないということでした。二審に関して坂口さん側の唯一の方針は、謝罪の意を表明するということで二審の公判でもあさま山荘事件に関してはほとんどなんの審理もしなかったわけです。

――二審もそれで終わってしまった?

植垣　そう。だから上告審になってあさま山荘事件の個々の問題、特に山荘内部の問題を伊東弁護士が初めて取り上げるようになったわけですが、それまではあさま山荘の個々の問題を取り上げるということはまったくなかったんです。

上告審の間、僕は坂口さんとは立場が違っていましたから伊東さんのあさま山荘の個々の問題の取り上げ方にそんなに注目していたわけではないんです。それで今回、裁判記録を読み直してみて、個々のケースについてきちんと殺意を争っていて、二審まではまったく違った取り上げ方をしていたんだということを認識し直したんですよ。確か田中保彦さんと内田尚孝警視それから小林定雄巡査以外の一六件の殺人未遂についてはきちんと殺意を争っているんですね。

―― 上告審での伊東先生のあさま山荘の取り上げ方については「しるし　初冬号」に上告審の口頭弁論の様子をそのまま掲載しましたけれど、私は再審請求申立書を読みました時にあの折の内容とほとんどおんなじじゃないの!?　と思ったくらいなんです。

ですから、さっきも申しましたけれど一審・二審の裁判をやり直すのだと……そう受けとめて行こうと……気持ちを切り換えるように努力しているんですけれど。

植垣　でもそれは高橋さんにとっては大変なことでしょうね。

■知ってほしい死刑囚の現状

植垣　そういう意味では僕としても思うところがないわけではなくて坂口さんに伝えたいと思っていることがある。

話してもいいですか?

―― おっしゃりにくいことですか?

植垣　そういうわけでもないですけど……ぜひ伝えたい。

きちんと伝わるといいのだけれど……。

再審弁護団は安田さんを中心に若い弁護士もみな一生懸命やっている。坂口さんは弁護士のそういう努力に対して感謝の気持ちというか、謙虚な気持ちを少しでも持った方がいいのではないかと僕は思う。感謝の気持ちを持って個々の弁護士に対応していかないとこれから絶対うまく行かないいんじゃないかと僕は心配している。

——坂口さんの感謝の気持ちが足りないというか感謝の仕方が上手でないということはどの辺を指して言われますか?

植垣　だから……彼は弁護士の努力が自分の考えに合わないと簡単に反発するということがある。

——簡単に反発する?

植垣　……弁護士には弁護士の立場というものがあるわけですね。その弁護士としての立場からこれが最適だという形で被告人に関わってくれるわけでしょ。だから弁護士の意見を全面的に受け入れる必要はないけれども、尊重するという姿勢は持っていて欲しいなと思うわけです。

——それは二〇年以上も裁判の場でご一緒だった植垣さんのご意見だから貴重な発言だと思うのですが具体的にはどういうことですか?

植垣　はっきり言ってしまえば自分勝手というか、一審の時は内乱罪を適用するという弁護団の方針が出されると坂口さんは全面的にそれに乗っかって、飛びついて……飛びついておきながら後になってなぜかそれに同意しなくなる。表立っては反対しなかったけれど結局のところ弁護団の基本方針と彼が望むこととは全然合わなくなったわけです。そうすると坂口さんは自分の思うとおりに弁護士が動いてくれないといって怒りだす。

そういう姿を見ていると坂口さんにとってよい弁護士というのは自分の思うとおりに動く人

ということになるのかな？　被告人の言うとおりに動くだけが弁護人じゃないと思うんだけれど……。

　はっきり言ってそういう弁護士だったら弁護人いらないでしょ？　弁護人は弁護人としての立場で最善の方法を尽くす、被告人は被告人の立場で最善の対応をする。そして意見の違いはあってもいいわけで、その意見の不一致の点をよりよい方向を探してうまく解決していくのが弁護人と被告人の仕事じゃないかと思うわけですよね。

――そうですね、普通の、日常生活の場でも自分の周りに健全な批判勢力が育っているかということは生きていく上で大切なことですものね。

植垣　だから一審・二審でいい加減に終わってしまったあさま山荘事件をここにきて再審という形できちんとやっていくんだと、坂口さん自身が自覚すれば問題は起らないとは思うんだけれど。

　弁護団も僕も、あさま山荘事件に関して新しい方向を掘起こしていけば今度の再審は結構おもしろいものになるかもしれないとは思っているんですよ。

――そのためにも坂口さんがこの対談をきちんと受けとめてご自分の今回の選択をよくよく自覚して欲しいと……？

植垣　そうですね。僕は今回また随分過激な発言をしましたけれど、坂口さんには僕の真意を冷静に、そしてきちんと受けとめて貫いたいと思います。

――私もひとつだけ申し上げたいことがありますけれど、坂口さんは逮捕（七二年二月二九日）されから二八年、刑が確定（九三年二月一九日）してからは七年ということになります。刑が確定してからは坂口菊枝さんの月一回の面会以外は人と話すこともなく、極端に制限された環境で死と向き合って毎日を過ごしているわけです。

統一公判の時はあのように〈真摯な反省〉の態度を示していた坂口さんが七年たって今度はこういう選択をした。

それはいったいなにを意味するのか？

私たちは坂口さんが置かれているそういう状況をきちんとありのままに伝えていかなければいけない。それは日本の死刑囚が置かれている状況を知る、あるいは日本の死刑制度のおかしさがどの辺にあるのかということを考える切っ掛けになるのではないかと思ったりもするのです。

坂口さんは死刑判決を受けて交通権が極端に制限された拘禁状態が七年も続いている、そういう状況の生身の人間がどのようになっていくのかということを世間の方に知って貰いたいという思いもあるわけです。

植垣さん、うらをみせおもてをみせてちるもみぢ、という俳句をご存じですか？

植垣　あぁ、なんか良寛の……？

――そうそう、良寛さまの辞世の句といわれているんですけれど、散る時が来た紅葉は己れにこだわってきれいな面だけを見せながら散るのではなくて、風に逆らわないで表も裏も見せながら散っていくんだよ、そういう自然さが人間本来の姿なんだよ、ということだと思うんですね。私たちも、『坂口弘歌稿』のあとがきに書きまして帯にも採用されているのですけれど「よいこともわるいこともそっくりそのまま受けとめて」いかなければ本当の意味での支援にはならないわけで、死刑囚の母親のお辛い気持ちを支えるのだという「坂口菊枝さんを支える会」の活動の初心をよくよく肝に銘じてこれからも頑張っていかなければと改めて覚悟してはいるのですが、それは実にしんどいことだなぁと思ったり、考え込んだりしております。

これからもよろしくお願いしますね。

（二〇〇〇年七月四日）

（たかはし・まゆみ、「坂口菊枝さんを支える会」の会報「しるし」の発行人）

連合赤軍秘史・番外編

聞き手　南原四郎

■今、なぜ全共闘？

植垣　はじめまして。元赤軍兵士の植垣です。

――はじめまして。よろしくお願いします。しかし、「はじめまして」と言いましたが、僕は植垣さんとほぼ同世代なので、「はじめまして」という感じがしません。僕らの世代は皆同じだと思いますが……。ところで、二、三日前の新聞に、六月九日（二〇〇〇年）に死刑が、それも一挙に九人執行される可能性があるって書かれているのを読んだんですが、今日は六月十日で……。

植垣　実は、昨日、その問題で急遽、集会を開いたんですよ。東京拘置所の前でね。しかし、執行は結局なかったですね。

——一人も?

植垣　ええ、一人も。

——今までも、何度かピンチはあったんですか。

植垣　去年の十二月頃、ちょっとそんな噂がありましたけど……でも正直言って、僕はそんなに悲観してはいないんですよ。なにしろ事件の性格が性格だし、歴史になっちゃっているから、そういう歴史的事件の死刑囚に対して死刑を執行するということ自体、権力にとって大きな重圧になっているはずです。それに、今海外にいる日本赤軍の坂東国男さんが、もし捕まって日本に送還されて裁判になったら、その証人として永田洋子さんも坂口弘さんも必要になるし。逆に、板東さんの裁判がもし始まっちゃったら、死刑執行ができなくなるから、その前にやっちゃうんじゃないか、って言う人もいるけどね。そこまで悲観的になることもないんじゃないかなあ。それと、永田さんの場合は身体が悪いでしょう。脳に腫瘍がある。目もかなり悪い。死刑執行は、心身共に健康な状態でなければならないんですよ。

——なんかヘンですね（笑）。

植垣　心身ともに健康の者は、自分の犯罪を深く反省しながら死刑執行を受けるべきだ、という理屈なんだね。

——たしかに、病人が絞首台からぶら下がっている図っていうのは、想像すると寝覚めが悪いですけど（笑）。

植垣　死刑執行というのは、いつでもできるからね。法務大臣が判子を捺せばいいんだから。だから気にしてたらきりがない。ただ、こういう言い方をすると酷かもしれないけど、永田、坂口という二人が依然として死刑囚であり続けているために、「連赤」問題に重みを与えているということは言えるわけでね。誰も忘れることができない問題として、みんなの心の中にひっかかっている。何かあれば、必ず報道されるしね。

――それは、たしかにそうですね。

植垣　もちろん、みんながいろいろ動いてくれることには感謝してるし、そういう集まりがあれば出たりしてるけど。再審にもとりかかりはじめているし。

――それも、同じ新聞で見ました。あさま山荘で坂口弘が民間人を射殺した件で、本当は殺してはいない、とか。

植垣　田中保彦さんを射殺した件ね。田中さんが撃たれてから死ぬまでだいぶ時間があった（一九七二年二月二十二日狙撃、三月一日死亡）んだけど、その間に医療ミスがあったんじゃないか、というわけ。事実、田中さんを治療した病院は、後の事だけど、治療ミスを犯しているんで、それを持ち出してつっついてるんだね（笑）。しかしどうなるかな。坂口さんの場合は、ちょっとむずかしいところがあってね。というのは、彼、情状酌量でいこうという作戦で、控訴審でほとんど認めちゃってるわけ、殺意を。例えば拳銃の弾が百メートルはなれた所にいた新聞記者に当ったんだけど、百メートルはなれて人に命中させることは、実際は不可能である、たまたまあたっちゃったんだ、とか言ってるんだけど、この主張と、以前の控訴審での発言をどう整合性を持たせるかというと……むずかしいんじゃないかな。なんだか情けない話だけどね(笑)。

——ここ数ヶ月、以前と比べて、連合赤軍や全共闘の話題がマスコミ等に出てくる割合が多くなったような気がしますが。

植垣　それは、二〇世紀最後の年だしね。ふりかえると、やっぱり連合赤軍事件は大きいですからね。

——ちょっと前に、十七歳の不条理犯罪が多発している問題に関して、ＴＢＳのニュース23で筑紫哲也と作家の村上龍が、視聴者がインターネットで参加できるという形式で対談したんですが、そのときに、ある視聴者から、最近の若者には、かつての全共闘のような、情熱をぶつける対象がないのが問題なんじゃないか、という意見が寄せられて、恐らく一年前、いや半年前ですら、こんなことといったら今さら何を寝惚けてるんだ、って言われかねなかったと思うんですが、村上龍の答えは「一理ある」だったんですよ。

植垣　そのことは、最近よく聞かれることでもあるんだけど、「全共闘」という言葉を持ち出すと、ちょっと意味が狭くなってしまうんで、もっと広く考えると、あれは要するに若者たちの表現の場だったわけですよね。全共闘運動の中心には、ぼくらのような、一生懸命のあまり刑務所に放り込まれちゃう（笑）ようなのがいたけど、それだけじゃないわけでね、演劇のグループやら、前衛芸術やらなにやらわけのわからないグループが沢山いたでしょ。それを、全体として考えれば、やっぱり「若者の表現の場」だったんじゃないか。そういう「表現の場」が、たしかに、今の若者にはないんでしょうかね。それから、もう一つ。我々が踏み込んじゃった、危ない世界、本当に絞首台にまでいっちゃうような世界、そういう世界を今の若者たちは見ていないし、知らないんじゃないかと思う。じゃあ、今、そういう危ない世界は、どこにあるかというと、今風に言えば、バーチャルな世界になっちゃってる。だから、たとえば、「やる」ということが、どういうことなのか、それがなかなかつかめないんじゃないか。要するに、十代後半というのは反抗期にあるんだから、反抗して当然なんだけど、その反抗の方向やら場やらを見いだせないでいるのが、あちこちに屈折した形で出ている、と僕は考えてますけどね。

――僕も、今回、連合赤軍事件を通じて自分の若い頃を振り返った結果、全共闘の再評価っていうか、少なくとも、自分たちが提起したことについて、もう一度考えなきゃいけないと思いました。しかし、今考えると、当時の大人たち、具体的には教師たちですけど、本当にバカにみえてしかたなかったですね。集団いじめみたいなものだった（笑）。

植垣　僕の場合は、「大人」とは、戦前世代のことで、それとの対決という気持ちが強かったですね。僕の親父は元軍人なんだけど、反抗したら、ずいぶん殴られた（笑）。何か言ったら、「学校やめい！」だもんね。「家出てけ！」って。完全に戦前の家父長的権威をふりかざす存在で、それに反抗したんだけど、今の若い人たちは、そういう対決すべき大人を持っていないんじゃないかな。

——僕は、父親をあんまり家で見かけたことがなくって。だから、今の、閉じこもったり、キレたりする若者の気持ちは、結構わかるんですよ。……しかし、こんな今風な話題になってますけど（笑）……植垣さんが出所されたのは去年……。

植垣　いや、一昨年（一九九八年）の秋です。

——刑務所には、外部の情報は入ってくるんですか？

植垣　もちろん、新聞や雑誌を通じてそれなりに世の中の動きは知っていたけど、出てみて、これほどひどいとは思わなかったな。思想から、文化からなにもかも解体しちゃってるというか。何にもない、言い換えれば、何でもあり、というか。

——村上龍が、さっき言った番組とは違う番組ですけど、一九九〇年代を「失われた十年」って言うけど、実際は「失われた二十五年」というべきじゃないか、って発言してるんです。しかし「失われた二十五年」だと、失われたのは、一九七五年以降ってことになりますよね。それをいうのなら、連合赤軍事件のあった七二年以降かな、って思うんです。

植垣　当時、「連赤」に対する期待というものは、実に大きいものがあったわけだけど、それを、ものの見事に裏切ってしまったわけだね（笑）。そして、その衝撃で日本の左翼そのものがダーッって崩壊したんだけど、それが、実は左翼の崩壊で終わらなかった。それが「連赤」の特異性だと思うんだ。戦後日本の文化から思想から、すべてが崩壊するきっかけになってしまった。僕は、二七年間、その解体過程を塀の中からずっとみていたようなものなんだけど、正直言って、これほどひどく、見事に解体するとは思っていなかったね。それが正直な感想ですよ。もうちょっと、みんな、自分なりに何かをつかむかなと思ってたんだけど……。それがなかなかできてないんだね。

――そうですね。いまだに……。

植垣　特に残念だと思うのは、ソ連の崩壊をあまりにも大きく言い過ぎているんじゃないかと思うんだね。もし、ソ連の崩壊によって日本の左翼運動が崩壊したのなら、それはものすごく不幸だと思うわけ。というのは、その場合、崩壊後の再建の道をどこに求めるかというと、ソ連、今はロシアだけど、外国の経験に頼らざるを得ないわけでしょ。しかし、日本の左翼の崩壊は「連赤」から始まっているんだね。ということは、自分たちが依拠すべき経験を自前で持っているということで、それが強みだと思うんだね。ちょっと自己正当化しすぎてるかもしれないけどね（笑）。ともかく「連赤」の崩壊は、「連赤」に止まらず、それまでのあらゆる運動を含めた全体の崩壊をもたらしたんだから、左右を問わず、それぞれ自分の経験を持っていると思うんだね。従って、それぞれが、その自分の経験を自分なりに総括して次の方向を見い出していく、その作業はもっとあってよかったんじゃないかなって思うんだね。僕が連赤問題をかかえて四苦八苦していたとき、外の人たちはいったい何をやってたんだっていう思いはありますね。そりゃ、やったのは僕らだけど……。僕は、弘前大学の全共闘だったんだけど、正直言って、そんなに全然たいしたものではなかったわけね。一方、東大にしろ、日大にしろ、大々的にやってたわけじゃないですか。ところが、そこに参加してた連中が全共闘運動をどうとらえかえしたか、っていうと、ほとんど何もやってないんじゃないか。何もしないまま、ただ、当時を懐かしがっているだけじゃないかなあ。左翼の問題だけじゃないのに。

――連合赤軍事件が発覚して、権力側はこれで「左翼」は崩壊するって、すごく喜んだと思うんですね。

植垣　それはそうだろうね。

――しかし、「これで自分たちは安泰だ」って思った時から、今に至る腐敗が始まったと思うんです。

植垣　警察も、ピリッとする必要がなくなったから、これは腐敗するのは当たり前だね。

――内ゲバで死んだ人間も、正確には知りませんが相当出ているわけでしょ。それなのに、ずっと放置してきた。

植垣　これは、本当にすごい数なんだよ。しかし、誰も何も言わない。

――週刊誌で、「アホなオヤジ」として扱われるくらいで。

植垣　殺されるほうも悲惨だけど、殺すほうも精神がおかしくなっちゃう。この間も少し話したんだけど、中核派について言えば、我々が救ってやらねばならないんじゃないかという話になったわけ。というのは、彼らはすごくブント（共産主義者同盟、略称共産同。ブントとはドイツ語で「同盟」の意味。赤軍派はこの流れから生まれた）を意識しているから、我々がしっかりしていれば、我々と一緒に一生懸命闘う。ところが、ブントが崩壊しちゃうと、どうしても革マルとの論争に引きずられてしまうんだね。そうすると、この二つのセクトは思想的に似通っているんで、指導権争いから内ゲバになっちゃう。従って、我々がしっかりすれば、中核派も生産的な戦いの場に戻れるんじゃないか、と、そんなことを話しあったんだけどね。しかし、難しいね。有機農業をやっている人がいて、その人の農場に精神のおかしくなったやつをひきとるとか、そんな話も出たけど。

――セクト間の話は僕には全然分からないんですが……僕に言えることは、「連赤」をふくめて、内ゲバで何人死のうが関係ないって日本の社会が思ってることです。本音では「関係ない」どころか、自滅を喜んでるかもしれない。そのくせ、二言目には「人命尊重」でしょ。この矛盾に気が付いていないのが致命的だと思うんです。キツイ言い方をすれば、人の死を喜んだ報いが今やってきている。十七歳の殺人がそれでしょう。僕は、左翼的人間じゃないけど、左翼の崩壊後、このままでいいわけはないのに、ってずっと思ってました。今は、とうとうつけがきたな、って感じですね。

植垣　南原さんが純粋にやってきたというのは、一目でわかりますよ（笑）。

――いや、バカなだけですよ。ホントにバカ。連合赤軍と同じくらいバカ（笑）。実際、それでずっと「連赤」が気になってたんです。それは、本当に。

——ところで、最初にうかがっておくべきことだったと思いますが、植垣さんは、今でも……なんというか……「左」のようですね?

■連合赤軍事件の特異性

植垣　もちろん、ごりごりの「マルクス主義者」を自認してるんだけど、マルクスの言葉を使わずにマルクスを語れるようにならなければいけないと思うんだよね。というのは、「連赤」総括をはじめた時に、僕は、まずマルクス主義軍事論に基づいて総括したけど、そのレベルで総括してても大したことが出てこないんだね。その時、出会ったのが古代中国の「孫子」で、これをきっかけに古代東洋思想を学びはじめたわけ。結局マルクス主義というのは、ギリシャ哲学をはじめとするヨーロッパの思想体系が基礎にあるわけだから、我々東洋に生まれたものは、東洋哲学からいくべきじゃないか、と。その結果、再びマルクス主義に出会うかどうかはわからないけど、そこから、我々の革命思想を改めて問い直していくべきじゃないかと思ったわけ。そして、次に行き着いたのが日本の歴史ね。日本の歴史はずいぶん勉強したけど、重要なことは、日本の歴史を個々に見るんじゃなくて、全体の流れの中でとらえることね。それによって、これからの方向も見えてくるんじゃないかと思ってる。

——赤軍派っていうのは、セクトに属していない、「左翼」ですらないような若者にも人気がありましたね。でも、「赤軍派」自体は「セクト（党派）」だったわけで……。

植垣　赤軍派の母体であるブントっていうのは、運動のための組織なんだよね。一つの闘争課題があるとしたら、それを闘うために結集する、それが終わったら、いったん分解して、また新しい闘争課題のもとに結集する、という。しかし、当時の活動家たちは、それでは闘争の一貫性や継続性を持てない、やっぱり「党」が必要だ、と思ったんだね。ところが、ブントはいろんな傾向の人たちが集結してきているので、「党」を強調すると、この傾向の違いが際立ってしまう。だから、ブントは常に分裂分裂をくり返してきたわけだけど。

――ええ。

植垣　赤軍派も、我々のような下っ端の兵隊たちは、考えはてんでんばらばらで、ただとりあえず武装闘争を闘おうということで参加してたんだね。だから、赤軍派っていうのは、確かに「党派」なんだけど、「党派」以上の広がりを持てたんじゃないかな。だから、赤軍派というのは、「運動のための組織」という性格がかなり強かったと思う。

――それで、僕のようなマルクスのマの字もしらないようなノンポリ的学生にも期待されたわけですね。

植垣　実際に、赤軍派の活動を担ってきたのは、われわれ兵隊であって、いわゆる「党派」的活動家じゃなかったわけです。しかし、そのわれわれが赤軍派の理論を理解していたかというと、まるでだめで、指導部から、「それじゃあかん」って言われて、「すみません」ってなっちゃうんだけど（笑）、とにかく、赤軍派の指導部は兵隊とちがって「党派」的活動家だったから、どうしても「党」というものにこだわってしまう。だから「軍」が実際の戦いを通して成長し、指導部の意向通りにならなくなってくると、指導部としては、「強力な指導体制が必要だ」ということになっていったんだろうね。逆に言うと、我々はそこまでのものを作っちゃったんだね。森恒夫さんなんかは、古いタイプの活動家で「指導」しようという意識が強いから、われわれのようなのが出てきちゃうと、それに対して虚勢をはることになっちゃったんじゃないかな。というのは、森さんには「経験」がないから。我々は、もう、銀行強盗やら爆弾作りやらで（笑）、経験つんでる。この違いはものすごく大きかったと思う。僕自身は、指導部に入ったことはないから、指導部が下部の兵隊たちをどう見ていたのかはわからないけど、やっぱり、「俺は何でもできるぞ」って態度でいないと我々の信用をなくす、って感じたんじゃないかな。

――たしかに、永田洋子の『十六の墓標』だけでなく、いろんなものを読むと森恒夫が虚勢をはっている、という印象はすごく受けましたね。板東国男のことをすごく信用していたみたいですけど、だったら任せちゃえばいいのに、どうしても「指導」が出てくるんですね。

植垣　そうなんだよね。割り切って、我々に任せてくれればね。

――あんなことにはならなかった、と？

植垣　あー、うーん（笑）、今さら言ってもしょうがないけどね。僕がものすごく感じるのは、武装闘争をはじめる時に作った部隊がみんなつぶれて、我々の部隊だけが生き残ったんだね。

それは何故だったのかを考えてほしかった。実は、つぶれた部隊はみんな森さんが「指導」してた部隊なんだ。そして、森さんが直接関わらなかったわれわれの部隊だけが、着々と銀行強盗（笑）を重ねることができた。是非、そのことを考えてほしかったんだけど、山に入って共同軍事訓練をはじめて、革命を担う主体を作るという「共産主義化（＝総括）」問題が出てきてからはどっかにすっとんじゃったんだな。

――ちょっと話を戻しますけど、全共闘っていうのは、当時も今も、「左翼の集団」のように思われてますけど、本当はそんなことないわけですよね。時代の雰囲気で、正義＝左みたいな雰囲気はあったけど。

植垣　そうそう。むずかしいことなんか全然考えてなかった（笑）。

――植垣さんは、赤軍派の一兵士として、その全共闘をどう見てましたか？

植垣　僕はもともと静岡の人間なんですが、大学は青森の弘前大学の理学部に入ったわけ。

――なんでですか？

植垣　地質学に興味があって。東北地方って、地質学的に面白いところなんですよ。

――なるほど。

植垣　そこで、僕は、コンパの幹事役としてクラスの代議員に選ばれ、さらに日本共産党の民青にひっぱられたんだけど、いやになってやめて、弘前大学全学共闘会議（全共闘）を作ったわけです。で、その後、いわゆる十月二一日の国際反戦デーに参加するために上京して、捕まって拘置所に放り込まれ、弘前大学に帰ったら全共闘は崩壊して、党派ごとの組織に分裂していたわけです。まあ、そのときは「しょーがねーなー」って感じだったけど、正直言って、みんながすごく子供に見えちゃうんですね。拘置所なんかを経験しちゃうと、世間知らずだなー、ってみんなを見るようになっちゃって、そんなこともあって、全共闘時代に接触のあった赤軍派に入っていくことになるんだけど。要するに、拘置所から大学にもどってからは、全共闘運動の限界ばかりを感じて、その良い面を伸ばしていこうという考えにはならなかったということですね。ただね、森さんが、我々に「処刑しろ」って言ってきたことがあるんだけど、それを回避できたのは、全共闘の経験が関係していると思うね。

――それは、M作戦にくっついて歩いていたという女性のことですか?

植垣　そうそう。進藤隆三郎さんが連れてきた女性だけど、これがいろいろ問題を起こすもんだから、森さんが「殺せ」って言ってきた。しかし、われわれは、彼女を革命戦線（赤軍派の大衆組織）に預けることにして、処刑はしなかったわけ。進藤さんは結局、総括で殺されちゃったけどね。連赤の敗北後に、なんで処刑を回避できたのかな、って考えたんだけど、全共闘っていうのは、いろんなやつがいたわけじゃないですか。考えもばらばらで、そういうのが出たり入ったり。中にはスパイもいるわけですよ。でも、それが当たり前だと思ってたからね。スパイがいようが、捕まったやつが自白しようが、関係ない、と。それを前提に考えてたから、上から、「殺せ」って言われても、組織から外せばいいじゃないの、って考えることができたんじゃないかな。

―― 後で、問題にならなかったんですか？　命令不服従とかで。

植垣　革命左派では二人殺したんだぞ、お前らなにやってんだ、とかごちゃごちゃ言われたけど（笑）、それだけですね。「いいかげんだぞ」「はいはい」って（笑）。それは、非合法組織のありかたが革命左派と全然違っていたということもあるんだけどね。我々の場合は、都市のアジトを全部警察が知ってたから、それがばれたからって、改めてどうこうすることもなかったということです。とにかく彼女はかなりむちゃくちゃな人で、彼女を部隊から外した時は、ホッとしました。

もっとも、面白いことに、彼女、今、大阪の釜ヶ崎でホームレスの救援にがんばってるんだよね。びっくりしたね。「あたしは赤軍派のゲリラ隊にいたのよ」とか言って、みんなを顎で使ってるらしい（笑）。向こうでは尊敬されてて、教祖みたいな存在らしいよ。殺さないでよかったよ、ホント（笑）。

―― 本（『兵士たちの連合赤軍』）によると、進藤さんが六本木でナンパしてきた女性とか。

植垣　いや、むしろ逆で、彼女が、進藤をナンパしたの（笑）。芸者さんだったんだよ。

―― え、芸者？

植垣　そう、六本木の芸者なんだ。

―― じゃあ、色っぽかったり？（笑）

植垣　うーん、僕はそうは思わないけど、色っぽいって思う人のほうが多いでしょうね。部屋を借りる時に、色目使って契約に持ち込むとかしましたけど（笑）。遊び上手な人ですよ。この間も電話があって、「会いたいわー」って言うんだけど、それはちょっと……（笑）。

――すみません、関係ないこときいて（笑）。しかし、なぜ会いたくないんですか?

植垣　もう、際限なく喋る人だからね（笑）。ものすごい、精力旺盛な女性ですよ。しかし、世の中、面白いね。彼女は、M作戦にしばらくの間くっついてたから、われわれの内情をかなり知ってるわけ。だから、処刑を回避してから後も、やっぱり殺したほうがいい、とか言ってくる人もいたけど、結局、それはしなかった。よかったね、ほんと、殺さなくて。

――しかし、「処刑回避」して、後で総括の対象にはならなかったのは、植垣さんにしろ、その女性にしろ、もって生まれた運という感じもしますね。特に、殺される理由なんかほとんどなかった革命左派の早岐やす子さんなんかとくらべると……。皮肉ですね。強権的な赤軍派で回避できて、家族的だったという革命左派で、向山茂徳、早岐やす子さんの処刑を断行しちゃうわけでしょ。あれがすべての始まりだったことを考えると……。

植垣　革命左派はとても家族的な雰囲気の集団だったんだけど、それは、排他的な雰囲気とも言えるんでね。そういう性格はすごく強かった。吉野雅邦君のいた横浜国大は、革命左派の力が強いところだったけど、後で横国の人に聞くと、「あの連中は不可解だった」って言ってたからね（笑）。それが災いしたということはあるだろうね。それから向山さんは、公安警察と接触していたために殺されたんだけど、これまでの裁判では、このことは彼の名誉に関わるということで、あまり触れなかったわけ。しかし、再審では、公安の責任もちょっとついてみようと思うんだよね。いい加減な方法で接触した、と。まあ、殺しちゃったのは事実だから、それはそれで責任はあるけど。

——でも、警察があの手この手で近づいてくるのは当然というか。

植垣　だから、我々の場合は、公安と接触しているやつがいるとわかったら、即、そいつとは関係を断つ。捕まったら、アジトその他、一切引き上げる。だから、喋ったっていいんだよね。実際は。「完黙」って言うでしょ。「完全黙秘」。これがすごく持ち上げられちゃう傾向があるんだけど、これはまずいと思うんだ。もちろん、「完黙」はすばらしいことだと思いますが、そのこと自体には、そんなに意味はないんですよ。喋りたければ喋っていいんです。外の人が、それに対応していけばいいだけのことでね。しかし、「あいつは喋ったから、だめだ」なんて、人格まで「だめ」ってことになっちゃう。喋ったら、もう、後はその運動から遠ざかる、転向、っていうことになる。「完黙」を思想にしちゃったのは、まずい。

——それは、強く感じますね。昔の日本軍が「虜囚の辱めを受けず」って、教え込んだみたいな……。

植垣　そう、それと同じなんだ。僕らの「総括要求」は十二人の犠牲者を生むに至ったけど、でも、同じようなことは、たぶん、無数にあったと思うよ。査問やら何やら。「完黙」の称揚は左翼運動を陰湿なものにしたね。黙秘というのは技術的な問題なんだよね。どこまで喋ってもかまわないか、ということをちゃんと認識していれば、逆に黙秘もしやすいわけで。

―― ロシアの共産主義の欠点にはロシアの欠点があったように、日本の左翼の欠点には日本の欠点が反映されていると。

植垣 でも、日本でも戦国時代なんか、平気で裏切ってたというしね。

―― そういえば「武士に二言はない」って言葉がありますけど、あれは、戦場で捕まった武士が、「後でお金を払いますから助けて下さい、私はサムライです、嘘は言いません」って意味だったとか……(笑)。

植垣 江戸時代を通じて、すごく堅苦しくなっちゃったんだろうね。戦国時代の日本人は、かなり融通無礙なバイタリティーを持ってたんじゃないかな。

■インターネットと社会主義

―― 話がまた元に戻るんですけど、七〇年安保決戦とかいってたのが、あっさり終わっちゃって、挫折感に覆われていたところに連合赤軍事件が起きて、左翼運動は一気に退潮していくわけですね。

植垣 「連赤」を免罪符にしてね(笑)。

―― まったくその通りですね。僕の考えでは、もともと左翼でも何でもなかった連中が、まさに「連赤」を免罪符にして、何の思想的葛藤も経ずに復帰しちゃったから、「擬似左翼」的雰囲気だけが残っちゃった、ってみてるんですけど。しかし、「塀」の向こう側でも、そういう雰囲気はわかりましたか?

植垣　それはわかりますよ。なんとなくね。連赤で革命がいやになった、とか言ってくる仲間もいたけど、今こそ「革命」を真剣に、真面目に考えるべきなんじゃないか、っていうのが、偽りない、僕の考えなんだけどね。本当のこと言うと、それまで、「革命」なんか、真面目に考えていなかったんですよ（笑）。「連赤」起こしちゃって、はじめて、これは真面目に考えなくてはいかん、と。ところが、僕よりずっと左翼がかったことを言ってた人が、「連赤」でころりと変わる。これは、ちょっと違うんじゃないか、それじゃあ、あんたの成長にならんよ、って思いはずっとありましたね。

――「連赤」以後の、日本の大事件と言うと、「オウム事件」がありますね。あの事件で一番不思議だったのは、オウムがサリンを撒いたって誰が見てもわかるじゃないですか（笑）。なんで、あんなミエミエのことをやったんだろう、ってそれが不思議だったんですが、しかし、実のところは、彼らは一九九九年七月に終末が来るんだから、捕まって死刑宣告されても構わないと、信じ込んでたんじゃないかと思うんです、単純に。というのは、我々自身のことを考えてみると、七〇年以降のことは全然考えていませんでしたから。

植垣　そうですね。似ているね。

――安保条約が自動延長されようが、破棄されようが、七〇年の後には七一年がやってくるんですが、そんな当たり前のことが、なぜかわからなかった。オウムの信者たちも、これとほとんど同じ心理だったんじゃないかと思うんです。この点、植垣さんは七〇年以降というものを、どう考えていましたか。

植垣　だから、その終末の七〇年がやってくる前に、何かしようというのが赤軍派の有名な「前段階武装蜂起路線」なんですよ。

――ああ、そうか（笑）。

植垣　日帝は経済危機に直面している、経済危機を突破するには戦争しなきゃならん、だから必ず戦争が起こる、とそればかりで三十年たっちゃった（笑）。

――実際に、七〇年を越えてしまった時に、挫折感はありませんでしたか。

植垣　そうねー……、こういう言い方をしてたな。七〇年の次は、七二年の沖縄返還闘争だ、沖縄返還は、アメリカのベトナム戦争を補強するための日本動員を目的とする橋頭堡である、と。したがって、沖縄返還を契機に、日本帝国主義の全面的戦争参加がはじまる、と。それを阻止するためには、武装闘争が必要であると、そのためには兵士の共産主義化が必要である、そのために「総括」を、となってくるわけだね。しかるに、我々は敗退し、戦争は起きなかった……。しかし、こういう問題についての総括もまともにしてないもんね。僕自身は、自分の事で精一杯だったけど。

――若さ故の……女性問題とか？

植垣　いや、すいません（笑）。でもね、沖縄返還は、経済的肩代わりでもあったんだけど、それはアメリカのベトナムからの撤兵の準備ということでもあったんだね。そこに、例のキッシンジャーによる米中国交回復というのも関わってくるわけだね。

――あさま山荘で、ニクソン訪中のテレビ中継を見てたと言いますね。

植垣　しかし、アメリカの戦略的後退というのは、われわれも注目してたんだよ。であるが故に、今こそ日本帝国主義が補完として現れるにちがいないと思ったんだけど、でも、それはなかったんだね。

――逆に言うと、日本帝国主義勢力がだらしなかったとか？

植垣　そういう風にはあんまり考えなかったけど（笑）。

――トヨタとかソニーとかホンダとか、世界的ビッグカンパニーが世界中に進出しているわけだから、その資産を守る責任が日本政府にはあるんですけどね。

植垣　たしかに日本帝国主義的勢力には、われわれが考えていたほどの戦略はなかったね。

最近思うことは、インターネットの登場ですね。この意味は大きいと思うんですよ。というのは、インターネットによって商品が国境を越えて、世界の隅々までを覆うということは、世界革命の条件が新たに一つ現れたということではないかと思うんだね。つまり、インターネットによる商品の世界的全面展開こそ、世界社会主義の条件である、と。何故なら、マルクスが言うように、商品経済の全面的発展による社会的総生産の形成というのが、世界社会主義の条件なんだけど、ソ連では、こういうのを作れ、作ったらあそこのに配れ、これはここ、って官僚が命令してた。だから、失敗した。したがって、中国が商品経済を活用して経済再建をはかっているのは、正しいと思うんだな。

僕はね、さっきも少し言ったけど、獄中でマルクスの著書の他に、日本史もだいぶやったんだけど、一番すごいと思ったのは江戸の版元、蔦屋重三郎なんだね。彼がいなかったら、馬琴も歌麿も、北斎、写楽、十返舎一九なんかも現れようがなかったんだからね。蔦屋重三郎っていう演出家ぬきに江戸文化は考えられないわけだけど、彼は一種の「革命家」ではなかったかと思うんだね。革命っていうのは、「お祭り」なんだ。大衆の。革命家はそのためのプロデューサーであって、自ら舞台に上がって旗をふる存在じゃないんだね。いいものを見つけて、それを育てていく、それが革命家としての自分の役割だ、と、そんな風に思うようになりましたね。しかし、「連赤」の経験がなかったら、今でも「党派は必要だ」って言い続けてたかも知れない。あるいは「党派」の論理に反論できずに従わざるを得なかったかも知れない。

■変えようのない性格が生んだドラマ

—— 当時の仲間と一緒に何かしようとか、考えていますか?

植垣　いや、それはないです。というよりも、ほとんど不可能に近いのが現状です。

――坂口弘さんは、完全に右に転向したんですか?

植垣　うーん、右というか……。

――歌人に転向?

植垣　しかし、彼の「歌」は、どうも僕には好きになれないんだな。違う世界だって思う。

――雪の重みに耐えかねて、木の枝が折れるのを見て、仲間の断末の状況を思い出す、みたいな歌がありましたね。(「わが胸にリンチに死にし友らいて雪折れの枝叫び居るなり」)

植垣　僕もその木の枝が折れる音は、坂口さんと同じ舎房にいたので聞いてますが、その時、僕は、山の雪景色の美しさを思い出しているわけです。他にも拘置所で、いわゆるフォークが流れてきたことがあるんだけど、それを聞いて坂口さんは、「慚愧の念を覚える」っていって落ち込んじゃうんだね。しかし、僕なんかは、当時の闘いへの意欲がよみがえってきて、逆にやる気が出るんだ(笑)。

――吉田拓郎とか?

植垣　なんてフォークだったかは覚えてないけど……。しかし、吉田拓郎の「結婚しようよ」がヒットしたのは、ちょうど連合赤軍事件のあった年だね。そうそう、それは覚えているよ。

――今の話で思い出したんですけど、『十六の墓標』や、植垣さんの『兵士たちの連合赤軍』を読んで、性格っていうのは変わらないもんだなあって感じたんですよ(笑)。「連赤」は、ある意味で、変えようのない性格が生んだドラマだ、という風にも思ったんですが。

植垣　確かに性格というのは変わらないね。状況によって、その様相はいろいろに変化するけど、本質は変わらない。たとえば、坂口さんなんかは、何をしてもうまくいかないというか、過ちを犯してしまいがちなタイプだな、って思うね。永田さんもね。もちろん、だからといって性格が悪いということではなくて、闘いの状況によっては、彼らの性格は大きな力を発揮すると思う。しかし、試行錯誤を強いられるような闘いの中では、過ちを犯しやすい、ということじゃないかと思う。

——確かに、坂口さんがもう少ししっかりしていれば、という思いを強くするんですけど、しかし逆に言うと、坂口さんは、性格的に「しっかり」した部分がありそうなのに、それだけに残念だ、という印象なんですが。

植垣　結局、彼の場合は、リーダーしだいだね。リーダーの言うことをきかない人間は、断固として排除しちゃう。坂口氏が「しっかり」しているのはそういう部分であって、まあ、いろいろやるんだけど、結局、全部、志と違う結果になっちゃう。

——早岐やす子さんを殺すべきか否か、散々迷った時、やっぱり「殺す」って決心した直後に仲間がやってきて、「助けられないか」って言うんだけど、一度決めたことだからってはねつけちゃいますね……。迷った甲斐がないというか……。

植垣　裁判にしても、彼が選択したことは、結局うまくいかないんだね。組織の中にいればそれなりに有能だと思うけど、一人になるとうまくいかない。モロイというか。

―― じゃあ、クアラルンプールのアメリカ大使館を占拠した赤軍派による奪還指名（一九七五年八月四日）を拒否したのも……。

植垣　あれも、おそらくは情状酌量を狙った行動だったと思うね。その後の彼の歩みなんかをみると、そう判断せざるを得ない。「出国拒否」した当時は、そうではなかったかもしれないけど、その後は、どうも、それを頼りにしている感じがみえみえだったね。もちろん、口ではそうは言ってないけど。しかし、「出国拒否」は、彼にとって必ずしもプラスにはならなかったわけですよ。むしろ、反省していることが認められていながら、死刑の判決になってしまった点で、状況をより悪くしてしまったのではないかと思う。罪一等が減じられたわけじゃないしね。要するに「出国拒否」という決断を、その後どう主体的にとらえかえすか、という作業を怠ったんじゃないかと思うね。結局、坂口さんの場合、何よりも欠けているのは、思想的な総括がないということだと思う。転向するにせよ、反省するにせよ思想的な総括がないと、その場しのぎの対応に終始し、これといった方向が見えてこないということです。

―― ダッカ空港で日航機を乗っ取った日本赤軍が植垣さんや泉水博さんらの身柄を要求したのに対して出国を拒否したのは（一九七七年九月二八日）……。

植垣　あの時は、別に「拒否した」わけじゃなくて、出国できなかったんです。

―― 法廷で、「出国しなかったことは誤っているのか、正しいのかそれはわからない。しかし、出国するわけにはいかなかった」って述べたわけですが。

植垣　結局、それが正解だったと思うけど、あの時は、本当に出国するわけにはいかなかったんだよ。何故なら、誰か一人でも頑張って、連赤問題を考えなければいけない、と思っていたから。

――「出国するわけにはいかなかった」というのはそういう意味だったんですか。

植垣　そう。あと、もう一つは、ハイジャック作戦が限界に来ていると思ったんでね。実際、あれ以降、日本赤軍はハイジャック作戦をやっていない。そういう意味では、自分のメッセージが彼らに伝わったのかな、とも思うけど。まぁともかく、坂口さんは、本当にかわいそうだと思うよ。彼なりに一生懸命考えてやってるんだけど、結果が悪い。

――しかし、坂口弘って人は、永田さんとの結婚の時のエピソード読んだとき（『十六の墓標』）も、本当にびっくりしましたね（笑）、天然記念物的人物（笑）。

植垣　でしょ（笑）。いや、いい人ではあるんですよ。しかし、立場変わると悪い人にもなっちゃう。革命左派の創設者の川島豪さんっているでしょ。彼が、自分を獄中から奪還するように獄外に命じたことが、上赤塚交番襲撃闘争を通して、革命左派の銃による武装闘争路線につながっていったんだけど、そのことを法廷で証言しようとした人に対して、坂口さんは出廷拒否までして、猛烈に反対したんです。その結果、結局その証言は流れちゃったんだけど、後になって考えれば、むしろ彼にとって有利な証言だったわけですよ。ここでも、悪いほう、悪いほうを選んじゃってるんだな。ともかく、坂口さんは、自分の上司である川島豪さんに不利になるようなことは、絶対に言わない。他の人がそれをしようとしたら、妨害してでも川島さんを守る。だから、裁判がやりにくくてやりにくくて（笑）。

―― 同じ大学（東京水産大学）の先輩後輩ということもあったんでしょうね。

植垣　それはもちろんあるでしょうね。しかも、同じ水泳部にいたからね。体育会的な感覚もかなりあったんだろうね。しかし、その川島さんともその後喧嘩になっちゃって、そうなると、ころって変わって、「川島にも責任がある」ってなっちゃうんだから（笑）。しかし、後になってそういうことを言い出すと、「責任回避」してるって感じになっちゃうでしょ。

―― ああ、そうですね。

植垣　そこらへんも、どうも、例の「悪いほう、悪いほう」を選ぶ結果になるんだね。

―― 坂東国男って人はどういう人なんですか。本を読んだ限りでは、寡黙だけどすごく存在感があるという感じですが。

植垣　そうだなあ……、統率力があったかというと、必ずしもそうではないと思うけど、彼がいるだけで、まとまりができるということはあったね。ただ、森さんがいると、その言うままになっちゃう、という面があって、そこは我々には不満ではあったね。結構、要領のいいところもあった。みんなには、酒はだめ煙草はだめって禁欲的なことを命じておいて、二人きりになると「おい、酒飲もうか」って言い出したり（笑）。

■「敗北死」という言葉

――今さらの質問なんですが、僕の書いた文章（「月光」第十四号の『十六の墓標』を中心に綴った「連合赤軍秘史」）で、ここはちがうんじゃないか、と思う所はありますか？

植垣　そうだなあ……森さんをちょっと悪く書き過ぎてるかな……。

――ああ……（笑）。自分で書いていても、わかっていたんですが、どうしてもああなっちゃうんですよ、生い立ちにちょっと複雑なところがある、みたいなことをどこかで見かけたんですが、結局それもわからなくて……。そのせいか、感情移入ができないんですね。

植垣　なんで、彼がこれほどまでに「共産主義化」にのめりこんでいったのか、という点で、もうちょっと同情すべきところはあるんじゃないかな。たとえば、赤軍派を結成する前、三里塚のブントの常駐部隊に森さんもいたんだけれど、どうもそこでリンチらしきことがあったらしいんだね。それから、後で、赤軍派が旗揚げするきっかけになった集会で、森さんは演説する予定だったんだけど、内ゲバかけられるかもしれないという情報があって、集会に出ずに逃げちゃった。その、いったん逃げた森さんを赤軍派に復帰させた塩見孝也さんにも、問題があったと思うね。彼の責任はかなり大きいと思う。一度離脱した人を、幹部にまで取り立てていいのかな、「離脱」という経験が後でマイナスに働かないかな、ということも考えるべきでしょう。復帰させるのもいいけど、その場合は、かつての負い目が過度な負担にならないような部署に復帰させるべきだったんじゃないかな。

――当時、全国津々浦々に、ものすごい量の手配写真が貼られていたでしょう?

植垣　あれはすごかったね（笑）。特に俺のは多かった（笑）。

――その手配書で、坂東国男、植垣康博、青砥幹夫、吉野雅邦といった名前はすごく強烈に覚えているんですけど、なぜか「森恒夫」という名前だけ、本当に名前だけなんですけど、影が薄い印象があって、その印象をひきずっちゃったということもあるんですよ。もっとも『あさま山荘一九七二』（坂口弘著）だったと思うんですが、「青砥（幹夫）のように、森にもっとも批判的だった者も、森が捕まったというラジオ放送を聞いた時、涙を流した」って書かれていて、やはり運命共同体の一員だったんだな、第三者にはわからないことがあるんだな、とは思ったんですが……。

植垣　いや、青砥さんは森さんの秘書役みたいな存在だったし、森さんに特に批判的だったということはなかったよ。むしろ森さんに告げ口みたいなことするから、頭に来て、けんかしたこともある（笑）。

――すると、批判的だったというのは……。

植垣　それは、その後の法廷でのことじゃないかな。

――そうか、坂口さんは、記憶が混乱しちゃってたんですね。革命左派の人はどうですか?　たとえば、吉野雅邦なんかは。

植垣　彼は、非常に純真な人だね。だから、「共産主義化」と言われると、ひたすら、努力しちゃう。反省に反省を重ねちゃって、それがかえって「共産主義化」を支えてしまうという。

―― 吉野雅邦の恋人の金子みちよという人は？　とても印象的なんですが。

植垣　女性としての魅力はありましたね。表面的には柔らかいけど、すごく芯のしっかりしてる女性でしたね。手出したらとんでもないことになりそうな（笑）。僕が女性にだらしないから、そう感じるのかな（笑）。いや、それは冗談だけど。

―― 恋人の吉野雅邦の救援活動がきっかけで革命左派に入るんですよね。

植垣　だから、党派的な考えにはあまり馴染んではいなかった。

―― それで、総括に抵抗したんですね。

植垣　僕なんか、怖かったね。

―― 縛られていても？

植垣　迫力があったね、縛られていても。吉野さんより大人だったね。

―― 植垣さんは、自分をどういう人物だと？

植垣　実務的人間というだけですよ。仕事さえしっかりやれば、後は何をやってもよい、って思ってる人間です（笑）。

―― 僕は赤軍派の「軍」という言葉にひかれたんです。つまり、左翼的な言葉を使えば、「人民に奉仕する集団」、党派的イデオロギーから離れた集団として期待していたので、つい赤軍派の理論偏重に不信感が強くなっちゃって……（笑）。セクトはどこも同じなんでしょうが。

植垣　ある意味、赤軍派に丸め込まれたと見えたかもしれないけど、実際は、革命左派はすごく、赤軍派に依存していたんだね。

―― 革命左派と赤軍が合流するって永田洋子から聞かされた革命左派の女性たちが、「ほんと? うれしー」って喜びますね。あそこは読んでいて、すごく複雑な気持にさせられました。

植垣　それは、赤軍派のほうが組織はしっかりしていたし、経験も積んでいたしね。それで、僕と革命左派の大槻節子さんとややこしいことにもなっちゃった（笑）。ともかく、森さんは、終始革命左派を指導しているんだ、という意識でいましたね。一貫して。その意味でも、森さんにかかっている重圧はかなりあったと思う。

――「敗北死」という言葉が出てきますね。総括にかけられて死んだものは、「共産主義化」に敗北したんだ、決して「殺した」わけじゃないんだ、と皆が思っていたというのは本当ですか?

植垣　あれは、本当。本当にそう信じていた。

―― 理学部出身で、実務家だという植垣さんでも?

植垣　もちろん、僕も同じですよ。「このまま放置していたら死んでしまうと思いながら、それを容認した」というのが、「未必の故意」による殺人の条件なんだけど、僕らは、このままでは死んでしまう、なんてまるで考えなかった。ひたすら、一生懸命頑張って、総括してくれよ、って、そういう思いだけだったね。「頑張ってほしい」それだけなんだ。それが総括の論理でもあったし。

――法廷で、「未必の故意」が問題になることはなかったんですか？

植垣　それはなかった。僕らは「殺意」そのものを否認したから。

――ああ、なるほど……。

植垣　「殺意」には、「確定的殺意」と「未必の故意」による殺意があるわけで、どちらも「殺意」なんです。そのどちらでもない、というのが我々の立場だったわけ。あくまでも「総括を要求」したのであって、「このままでは死ぬ」とか思わなかったと。事実そうだったんだし。ただ、後で森さんの自己批判書を読むと、どうもそれだけではないような印象があるけどね……。

――というと？

植垣　森さんは、ある程度「確定的殺意」をもって、縛ったと。だから、彼はいつも「死刑」を意識していたと思う。

――それはよくわかりますね。森恒夫に同情するとしたら、指導者として常に醒めてなきゃいけなかったということで、これは、ものすごく辛かったでしょうね。

植垣　しかし、だからといって、総括を止めるわけにはいかない。何故なら、それは、「共産主義化」をあきらめることだからね。そこで、「敗北死」という言葉を考え出したわけだ。だけど、「敗北死」っていう言葉を考え出したのはすごいね（笑）。われわれ皆すっかり納得したもの。気がついたら死んでいた。

■今でもクラス代表のつもり

――連赤の悲劇は、失敗した集団療法だ、っていうアメリカ人の社会学者のパトリシア・スタインホフさん（『日本赤軍派』の著者で、ハワイ大学教授）の見方はどうですか?

植垣　ちょっとちがうんじゃないかな。アメリカ人だったら、途中で防ぐことができただろう、って言ってるけど、どうかな……状況しだいだと思うね。たとえば、その問題を解決しない限りすべてがだめになるってなった時、果たしてそこで終わらせることができるか。……集団療法というのは、一応、終われば帰っていくところがあるわけだけど、我々はそうじゃないからね。僕なんかは、集団療法よりも、むしろ、スゴキに似た「社員新人教育」の方が連赤の総括に似ていると思うね。今でもやってるかどうか知らないけど、実際に、新人社員の教育係をやってたのは、全共闘だったり、左翼運動を経験した人が多かったらしいしね。要するに「総括」っていうのは人格を変えることなんだね。左翼はそれをやってきたわけだよ。査問やら何やらで。僕も、民青で経験してるけど。

――今はずいぶんソフト路線ですけどね。

植垣　日共民青が、今でも同じことをやっているかどうか、それは知らないけど、僕が民青をやめたのは、それなんだ。弘前大学で経験したことだけど、細胞会議っていうのがあって、あのクラスの誰某の傾向はどうだ、この学生の傾向はどうだと、全部分類するんですよ。そして、日本共産党に一番近い考えをしているものは誰だ、仲間は誰だ、反対しているものは誰だ、って全部ダーッと調べる。で、一番有望と思えるのをスカウトする。

――全部調べあげた上、というのが不気味ですね。

植垣　学生大会なんかも、前もって全部きめるんだね。誰がいつ立ち上がって発言するかを。そんなふうにことが運ぶから、「俺って誰?」って感じになっちゃう（笑）。僕は、当時クラスの代議員をやっていたんだけど、クラスの雰囲気はどんどん反民青になっていったから、板挟みというか（笑）、苦労したね。

――今の共産党の志位書記長なんか、それでスカウトされたクチですかね。

植垣　どうでしょうかね（笑）だから、民青に入ったことは無駄ではなかったと思うね。入ったからこそ、共産党の理論、組織、やり方がわかったから、その後共産党と論争できた。わかって論争するのと、わからないまま論争するのではまるでちがうから。まあ、民青にかぎらず、党派に所属していたことも、プラスにはなり得るわけでね。プラスの経験としていかせるかどうかは、その後の歩みにかかっているんじゃないかな。党派に入ったことをただ残念なことと考えるか、おれはあの世界を知っていると言えるかどうか。これはもちろん、党派を批判的にとらえることができなければ無理だけど、ただ「残念な経験」と思っているだけでは、また党派にやられちゃうと思う。

それから、弘前大学で、クラスの代議員をやってたって言ったけど、僕の意識の中では「クラスの代表」っていう気持ちがずっとあった。「クラスの代表」で、連赤までいっちゃった。

この間、クラスの仲間と会ったんだけど、その時に、こんなことを言われたんだ。「植垣君が連赤までいったのは、おれたちの代表としてずっと関わってくれたんだ、と思っている。だから、植垣に責任を負わせちゃったけど、本当は、連赤問題もおれたち自身の問題だ」って。ああ嬉しいことを言ってくれるなって思いましたね。武装闘争にしても、赤軍派の闘いというより、おれたちのクラスの闘いだ、って思ってたからね。

――いい話ですね。民主主義の原点というか。そういう意識がないと、功名心とか、自己利益の追求だけになっちゃう。しかし、永田洋子さんにとっての「総括」はどうなるんでしょう……すごく誠実で、ひたすら反省しているのはわかるんだけど……。反省しなくてもいいところでも、反省しているようなところもあって、ちょっとピントがずれてるというか……（笑）。

植垣　そうなんだよね。あのヒトは、大変な問題なのに、それを自覚していないんだな（笑）。深刻な問題なのになんで？　っていう思いを度々させられましたよ。だから、「月光」の南原さんの文章を読んで、あー、これは永田さんにとってはすごく嬉しい見方をしてくれてるな、って思ったんですよ。

――そうですか。

植垣　というのは、永田さんの文章を読んでも、みんな「もどかしさ」ばかりを言うわけね。反省ばかりしていて、次のものが見えてこない。単なる「反省記録」じゃないのか、という言い方をされるわけね。しかし、それに反論ができない。「そう言われればたしかにその通りやなあ、でも、彼女にそれを要求しても酷やなあ」、って思ってたんだけど、それを、南原さんは、「永田洋子は書くのが仕事だ」って言い切ったわけでしょ。あー、これは彼女にとっては非常にいい見方をしてくれてるな、と。

――『十六の墓標』の最後の一説――「絶望などはなく今後は今後の闘いを全力でしていこうと思った。しかし私たちにとっては、この逮捕はこれまでとは比較にならない絶望と混乱に満ちた困難な闘いの始まりであった。」なんかも、とても印象的なフレーズなんですよ。しかし、改めて読み直してみると、自分たちは罪を犯したと思っていなかったが、逮捕されてからそのことに気がついた、と言ってるわけですね。これは、よく考えたら普通だったら、やはりリーダーとしては、ノホホンとし過ぎてるんじゃないかって、思うかも知れませんね（笑）。しかし、『十六の墓標』が出た時、すぐに買ったんですが、最初は、どうしても読みとおすことができなかったんです。一つには、リンチの場面が凄惨すぎたことと、あともう一つは政治路線を説明している部分がちんぷんかんぷんで。

植垣　そうでしょうね。『十六の墓標』は、僕も少し手伝ったんですが、政治論争の部分が一番難しかった。そのまま書いたら、誰だって、何を言ってるのかさっぱりわからないでしょ？それを、普通の人にもわかるように書かなければならないといろいろとアドヴァイスしたりして、そういう意味ではしんどかったけど、とても勉強になったたね。

――読んでいてわからなくなっても、前の頁に戻って調べると、ちゃんと書いてある。それをくり返していると、だんだん全体がわかってくる……。くり返しの検証にも耐え得る、希有な本だと思んですよ。

植垣　たとえば、ML派（社会主義学生同盟マルクス・レーニン主義派）の歴史なんかも、あれ読めばちゃんとわかるようになってるからね。

――しかし、よく覚えてましたね。

植垣　彼女の場合、当初、「完黙」に近かったから、自供調書がなかったんだけど、その後の裁判でいろんな資料が出てくるから、それらと整合させていったわけですよ。しかし、「完黙」ってやつが問題でね……沈黙してると記憶がなくなっちゃうんですよ。

――そういうこともあるんですか。

植垣　坂口さんの場合も、「完黙」しちゃったことによって、記憶がすべて曖昧になっちゃったんだね。

――坂口さんは、どれくらい「完黙」してたんですか。

植垣　七二年の三月に捕まって……四ヶ月くらいかな。

――そんな短期間に記憶って失われちゃうんですか。

植垣　いや、彼の場合は、その後に出てきたいろいろな事実に関して、さっきも少し言ったけど、あれはまずい、これはだめ、っていう風に、事実を外に出すことを拒む場面がすごく多かったんです。それがまずかったんだね。いざ自分の過去を振り返ろうとすると、記憶がすべてあいまいになっていた。

――なるほど、それで森恒夫逮捕の時の青砥氏の「涙」も思い違いしてたんですね。

植垣　やっぱり、記憶っていうのはくりかえしくりかえし思い出すようにしてないと、喚起できなくなるんですよ。僕は、ぺらぺらしゃべっちゃったけどね（笑）。というのは、記録を残したいという思いが強かったんでね。自供をはじめたときに、これは将来自分たちのやってきたことを考え直す時に役立つぞって思って、どんどん喋ったんだけど、しまいに、警察の方が面倒くさくなったらしくて、「もういいよ」って言い出して、それに僕が「いや、話すから書いといてください」って（笑）。でも、それは後でものすごく役に立った。

（なんばら・しろう、雑誌「月光」発行人・編集人、二〇〇〇年六月一〇日）

Ⅱ　甲府刑務所だより

＊ここに収録した著者の手紙は、『悪党通信』（連合赤軍公判ニュース）の二二号から三四号に掲載されたお母さんと身柄引受人の佐野顕光氏にあてて書かれたものである。

懲役囚としての仕事の楽しみ

四〇万円のミンクのコート作り

僕の方のこの間のことを報告しなくてはなりませんが、僕自身については、例によって快調にやっています。まあ、刑務所の方は、残念ながら初めての所のうえ、これまで二一年も独房にいたので、いろいろと慣れないことばかりで、なにかと面喰うことが多かったのですが、それもなんとか乗り切り、今では、もういっぱしの懲役囚となってやっています。それだけに、この間の状況の変化は、めまぐるしいものがありました。

実は、四月に手紙を出した時、刑務所行きは五月の中旬か下旬になりそうだと書きましたが、その手紙を出した直後の四月一九日に、急に甲府刑務所行きを言い渡され、翌二〇日、甲府刑務所に移送されたのです。三月一八日に懲役囚になってからちょうど一ヶ月目でした。行く先が甲府刑務所と聞かされた時は、予想もしていなかった所だったうえ、かつて（一九七一年当時）石和や酒折《さかおり》に活動の拠点をおいていた時期があったこともあって、なにやらとまどいを感じてしまいましたが、しかし、よく考えてみれば、僕の残刑は約五年半ほどになっていて、短期刑扱いなので、可能性として考えられる所でした。ただ、甲府刑務所は、再犯者中心の刑務所だったうえ、赤軍派系のものは府中刑務所に行くといわれていたので、甲府刑務所を行き先の一つとして考えてもみなかったというわけです。ともあれ、これで、北海道あたりに行くかもしれないと思っていた人たちは安心したことでしょう。

　甲府刑務所へは、四月二〇日の早朝、甲府刑務所から迎えに来たマイクロバスで移送されましたが、甲府へ向う中央高速から眺めた風景は、二一年ぶりのせいで、かつてのものとは全然違っていて、面喰うことばかりでした。それでも、八王子に近づくにしたがって、それまで靄にかすんでいた山々が見えてきた時には、山が見える風景というものが、こんなにも潤いのあるものかということを改めて認識させられた思いで、大いに感動してしまいました。なにしろ、東京拘置所にいては、山なんて全然見えませんからね。大月も塩山もすっかり変わっていましたが、八王子から山間を通りぬけて行く間、ほとんど家がとぎれることなく続いていたことにも驚きました。二時間半ほどのバス旅行でしたが、二一年ぶりの風景をわずかなりとも楽しませてもらったというところでしょうか。ところで、酒折にいた時に何度か甲府刑務所の塀沿いに歩いていたので、てっきりそこに行くのかと思っていたら、そことは全く違う甲府市内よりずっと南にある甲府刑務所に来ました。後で、一〇年程前に今の甲府刑務所に移転したことを知りましたが、そのせいか、甲府刑務所の建物は、まだ新しい感じがし、想像していた刑務所のイメージと大いに違いました。

甲府刑務所に着いてからは、刑務所に隣接する拘置所の方に入りました。身上や仕事への適性などの調査による分類のためでしたが、僕はこれまでの例から、すぐに工場に出られず、当分、独居で袋貼りなどの作業が続くのではないかと思っていました。しかし、「すぐに工場に出てもらう」と言われ、連休が終わった五月六日、刑務所の舎房に移りました。そして、「新入教育」と称する期間が一週間続きました。これは、刑務所での生活上の規則やら動作やらを教える期間で、例の軍隊式行進などもさせられました。これに対しては、どう対応するかいささか迷いましたが、刑務所の実態を知るには工場に出なくては話にならないし、それに刑務所側が「工場に出てもらう」と言っている以上、少なくとも初めから厳正独居（刑務作業を工場ではなく独居房で行わせ、昼夜問わず独居生活を強いる処遇）にさせられるよりはましなわけで、それで、到底がまんができなければ、その時に拒否すればいいと決めて応じることにしました。

とはいえ、行進等にやりきれない腹立たしさを感じることには変わりなく、おまけに長い独居生活で運動神経が思っていた以上に低下していて、やることなすことメチャクチャでしたが、それでも運動場に出た時、そこから見えた風景には感激してしまいました。というのは、ぐるりとまわりを山に囲まれていたうえ、驚いたことに、櫛形山《くしがたやま》の脇に、残雪が五月晴れの青空に白く輝く間ノ岳《あいのだけ》や北岳が見えたばかりか、鳳凰三山から甲斐駒に至る山々まで遠望できたからです。南アルプス北部のこれらの山々が眼にとびこんで来た時には、思わずジーンときてしまい、これらの山々を見ることができるだけでも、甲府刑務所に来たかいがあったと思いました。なにしろ、これらの山々はそのまま連合赤軍の時の新倉ベースのあった黒柱《つづら》河内《こうち》岳に連なっているのですからね。

工場への配属が決定したのは、五月一三日でした。甲府刑務所の工場は一〇工場まであり、スイッチなどの電気製品や金属加工、木工、裁縫などの業種があるものの、短期刑中心のため、ほとんどが簡単な単純作業のようでした。それで、工場の仕事の希望としては、木工なら実用的だろうと木工を選んだのですが、配属先は、第四工場の裁縫工場でした。はじめは、てっきり雑巾でも縫わされるのかと思っていたら、面会でも話しましたように、なんとミンクのコート作り。これには、大いに驚かされました。

この裁縫工場では、他の工場と同様、ぬいぐるみ作りや、布製の袋やカヴァー、糸巻などの単純作業も行われていますが、ミンクのコート作りの仕事名は皮革縫製。刑務所でミンクのコートを作っていることにもびっくりしましたが、それにこの僕が携わるというのですから、二度びっくりというわけです。仕事の様子も一見しただけで非常にむつかしそうで、懲役囚の仕事場というより職人たちの仕事場という感じでした。それで、仕事の安全教育に来た作業担当の看守（刑務所内ではこの看守のことを「技官」と呼んでいます）に、「とても無理」と言ったのですが、「大丈夫だ、君にならできるようになる」とおだてられ、それにここでは指示された仕事をやるしかないわけで、どういうことになるやらという思いで仕事に携わることにしました。とにかく、仕事としては、このミンクのコート作りは、この甲府刑務所ではとびきりむつかしいものに属していることは確かであり、一着四〇万円もするコートを作るのですから、改めてとんでもない所に配属されたものだと思わずにはいられませんでした。分類での面接の時、「君は手先が器用か」と何度か聞かれ、それには、「皆から手先が器用だといわれている」と答えておきましたが、何やらとびきりむつかしい仕事をあてがっておとなしくさせておこうという刑務所側の意思を感じないではいられないというのが正直なところでしょうか（笑）。

　この仕事は、僕を入れて七人。そのうちコート作りに直接携わっているのは五人で、そのうちの一人がこの僕というわけです。もちろん、いきなり製品作りの仕事に携わるわけではなく、まず、仕事を憶えることが課せられました。それは、毛皮を縫うための特殊なミシンの扱いを習得することです。このミシンは、一見しただけではとてもミシンとは思えず、ミシンのような機械といった方がましという代物です。ミシンは四台あり、そのうち三台はイギリス製で、大きさは普通のミシンの半分もないのに、一台八〇万円もするそうです。ミンクの毛皮を一センチ幅に裁断して、よい部分だけを切り取り、それを六〇センチ位の長さにつなげ、そのつなげたものを、やはり一センチ幅に裁断したレザーと交互に縫い合わせていくわけです。その際、その縫う毛皮を置く台なんてなく、手に持ってまっすぐ縫わなくてはならないのですから、はじめはそれこそ逃げ出したい心境でした。どう見ても二一年も独房にいた人間にいきなり出来るような仕事ではありませんからね。

皆は、二〜三ヶ月も練習すれば縫えるようになると言ってくれましたが、その言葉に甘えている訳にはいかず、皆の技術を盗み取るように集中的に練習しました。そのかいがあってか、一ヶ月程たってから「もう大丈夫だ」と言われ、恐る恐るという感じで製品作りに加わることになりました。といっても、比較的楽な袖の部分を縫うことから始めており、皆と同じ水準になるまでには二〜三ヶ月はかかりそうです。それに、コートの完成までに憶えなければならない工程がまだ沢山あり、当分仕事に追われる日が続きそうです。とにかく、今は皆の足手まといにならないようにするだけで精一杯であり、余裕をもって仕事をこなせるようになるのは、ずっと先のことです。

　第四工場には約三〇名程いますが、僕への皆の対応は親切の一語につきるでしょうか。判決が新聞に出てから間がなかったせいもありますが、工場に入った日、すでに僕の名前を知っていた人がいて、「赤軍派の人が来た」とばかり、パーッと工場内に僕の名前が広まってしまいました。中には、府中刑務所で塩見孝也（元赤軍派議長）さんと一緒だったとか、宮城刑務所で青砥幹夫（私と同じ元連赤兵士）さんと同じ仕事をしたとか、永田洋子さんの『私 生きてます』（彩流社）を読んだという人もいて、世の中狭いなあという感さえしました。皆の反応は、連赤の人ということへの物珍しさよりも、東拘の独房に二一年もいたということへの驚きの方が大きく、それに皆が圧倒されてしまったというのが実際のところのようです。そんな訳で、初めての刑務所生活も、比較的早く自分のペースに乗っていけそうです。あとは仕事の方が少しでも上達することでしょう。ミンクのコート作りをすることになるなんて考えてもみませんでしたが、しかし、これをこなせるようになれば、僕のレパートリーも更に広がりそうです。それに、このやっかいきわまりない仕事は、長い独房生活に対するリハビリとしては、最良のものの一つかもしれません。懲役の仕事であるかどうかに関係なく、僕なりに完璧な作品を作れるようにしたいと思っています。

今日は、甲府刑務所で工場の仕事を始めたことの報告を第一報として終わります。


（一九九三年七月四日）

上達したミシンの扱い方

早いもので、八月ももう終わろうとしていますが、お元気ですか。体調の方はいかがですか。僕の方は相変わらずの調子でやっています。それにしても、今年の夏は、夏らしい天気がほとんどないまま終わろうとしており、涼しい夏は、こっちにとっては大助かりだったものの、東北や北海道でのひどい冷害を新聞などで知るたびに、やりきれない思いがします。というのは、日本の無責任な官僚農政の矛盾がこういう時に農民へのしわよせを一層ひどいものにするからです。これで、日本の農家は、米に対するアメリカからの自由化要求と相まって、一段ときびしい状況におかれることでしょう。

とにかく、奥尻島での大地震、九州での水害、そして、北海道・東北を中心とした冷害と、この間の大災害は、自然の摂理を無視した乱開発によって成長した日本経済や、慢心し危険な方向に歩み出そうとする日本人に対しての自然の厳しい警告のようにも思えてきます。特に水害に対しては、早くから危険が指摘されていることばかりであり、まさに行政の怠慢という点で人災としかいいようがありません。冷害にしても、この間の暖冬によってある程度予測されたことであり、このことに注意を払わず、むしろ日本の農業を切り捨てる方向に歩み、何の対策も考えようとしない日本の官僚たちの無責任ぶりばかりが目立ちます。実際、この間の暖冬は、北極の氷をとかし、それが北極から南下してくる寒流（親潮）の勢いを強め、冷たい気団のオホーツク海高気圧を発達させることになっています。それが長梅雨の原因にもなっているわけで、オホーツク海高気圧の成長に注意を払えば、このことを理解することは、そんなにむつかしいことではありません。ところが、気象庁を含め日本の官僚たちは「地球の温暖化」さわぎにすっかり取り込まれ、それに反するような現象は無視しようとしてトンチンカンな予報ばかりしているのですから、お話になりません。

　甲府は、このところ、先日の台風が去ったあと、よい天気が続き、暑い日になっています。これまでほとんど聞かれなかったセミの鳴き声も、さかんに聞かれるようになりました。しかし、甲府は、盆地特有の気候のせいで、日中も猛烈に暑くなっても、夜になると涼しくなり、朝方には肌寒さを感じることもあります。ですから、東拘での夏の夜の蒸し暑さにうんざりさせられてきた僕には、今のところここでの暑さはさほど苦になっていません。日中だって、工場で体を動かしている分には、ひどい暑さも気にならないという訳です。もっとも、東拘の独房での夏を過ごしてきた者なら、どこの刑務所の夏も楽に過ごせると言っていた人がいましたが、まったく然も有りなんという思いです。

工場の仕事は、順調に行っていますが、ただ、この間、ミンクの毛皮をレザーの帯（テープ）と縫い合わせるミシンの扱いにやっと慣れ始めたところで、原皮のミンクの皮が来なくなってしまい、おかげで、仕事が中断という事態になってしまいました。懲役の仕事がなくなるということ程滑稽なことはありませんが、他の所だと、別の工場から仕事をまわしてもらったりして仕事を続けていくことができるのに対して、ミンクのコート作りの場合は、そういう訳にはいきませんから、全く悲惨の一語に尽きます。そんな訳で、ミンクの皮がない間は、コートの裏地作りをしましたが、これは、いずれはやらなくてはならないことで、その仕事を憶えるための時期が早々とやってきたというところでしょうか。おかげで布地を縫う方の普通のミシンの扱いの練習もやり、なんとかクリアできました。

ただ、このミシンの扱いの方も、相当にやっかいな思いをさせられました。というのは、布地を線にそって縫うだけでなく、ポケットやエリの飾りも縫わなくてはならないからです。縫い目を一つずつ数えながら縫ったり、回転させながら縫ったりする訳ですが、モーターの回転を足で調節しながら縫うというこの仕事は、いささか苦労します。といっても、こちらのミシンは、布地をおく台があるし、一センチ幅のミンクの毛皮とレザーのテープをわずか一・五ミリ程度の幅で曲芸のように縫っていくというようなことをしなくてもいいので、全然楽で、三日ほどでミシンをこなせるようになりました。これで、ミンクのコート作りのために必要な基本的作業は、一通り身につけたことになります。あとは、実際に、毛皮を裁断したり、裏地を縫いつけたりする仕立ての段取りを教えてもらうだけですが、これは、当分先のことになります。

そんな訳で、二週間近く、あれやこれやと細々とした仕事をしていましたが、しかし、毛皮の原皮も入荷して、今は、再びもとの活気を呈しています。とにかく、仕事がないのですから、それこそ一日することがないといったようなこともあり、ミシンの掃除をしたり、道具の手入れをしたり、在庫の整理をしたりして過ごした日もありました。他の班の人たちからは、ずい分とひやかされてしまいましたが、こんなことをしていられたのも、ミンクのコート作りという特殊な仕事だったからだと思います。

毛皮縫いのミシンの扱いの方は、皆から高く評価されるほど上達しました。しかし、まだまだ完璧というには程遠く、今は、このミシンの扱いに少しでも上達していくよう努力しています。というのは、こればかりは、時間をかけて腕を研いていくしかないからです。どこまで上達できるかわかりませんが、美しいと言えるような完璧なものを縫えるようにしたいと思っています。これが懲役としての仕事の楽しみといったところでしょうか。それに、工場におりてからまだ四ヶ月にもなっていないものの、上達が早かった分、甘えが許されない状況にあり、全体の水準が均質なものになるようにすることが要求されています。このあたりが、共同作業のむつかしいところかもしれません。

仕事の状況はこんなところであり、総じて僕なりに楽しくやらせてもらっているという訳です。

物理と数学の学習の方も、まずまずの調子ですが、復習のためにやっている『ランダウ＝リフシッツ理論物理学教程』（東京図書）のうち、『力学』を終えて、『場の古典論』に移っています。これは、相対性理論の世界的名著と言われているものですが、全体の構成をみてもきわめてユニークで、独創性を感じさせられます。今は、この『場の古典論』の準備として、『物理学の廻廊・時空と重力』に目を通しています。これは一週間位で終えるつもりです。それにしても、ランダウの『力学』には、改めてすごい内容だと思いました。ソ連の理論物理の水準の高さを見せつけられた思いです。とにかくすごいと思ったのは、微小振動の章の展開の妙であり、すっかり感動させられてしまいました。古典力学をバカにしてはいけないことの見本のような内容でした。

数学の方は、必要な本がまだそろっていないため、快調とは言えませんが、少し目標もみえてきており、これからというところでしょうか。ただ、物理と数学について、いろいろと計画をたてはしたものの、刑務所生活はどうあがいてもあと五年しかないため、果たしてどれだけやれるかいささか心もとない思いです。とにかく、可能な限り、努力してみようと思います。

（一九九三年八月二九日）

死刑執行と多くの人の死

早いものでもう一二月になってしまいましたが、お元気ですか。一一月は、少々学習に追われたりしていて、手紙を書きそびれてしまいましたが、今日は一二月七日。丸岡修さん（日本赤軍のメンバー。ドバイ日航機ハイジャック闘争の容疑者として国際指命手配され、一九八七年一一月成田空港で逮捕される。無期懲役が確定し、現在、宮城刑務所に服役中）の判決の日。先ほどのニュースで無期懲役だったことを知りました。例によっておそらくひどい内容のズサン極まりない判決だったことであろうことが予想つきます。何しろ、目撃証言ほどいいかげんなものはありませんからね。無罪の判決を出せるほどの良識が日本の裁判所になかったというよりは、無罪にせざるを得ないような明白な証拠がないことにつけ込んで有罪にした日本の裁判所の政治的反動性を改めて確認させてくれた、というところでしょうか。

ともあれ、無期懲役の判決を受けたからといって、それでへこたれるような丸岡さんではないでしょうから、この判決を逆手にとってより一層の奮闘を期待したいと思います。それに、これによって、五年後に、僕が面会に行くことになることが決まったわけで、それまで元気でやっていてほしいと思います。

判決といえば、一一月一八日に柴田泰弘さん（よど号ハイジャック闘争を実行した赤軍派兵士の一人。ピョンヤンにいたと思われていたが、一九八八年に国内で逮捕され、この時、四年半の刑が確定した）の上告棄却の決定があったようですね。残刑がどれ位になったのかちょっと分かりませんでしたが、たとえ残刑があったとしても、わずかなものだろうと思います。日本の刑務所がどんなところか知るためにも、元気に下獄してほしいと思います。

それにしても、この間、いろいろと複雑な思いにさせられる出来事が相次いでいます。特に、一一月も終わりという時になってとび込んできた新たな死刑執行のニュース、しかも一度に四人もの死刑囚の死刑を執行したというニュースには、暗澹たる思いとともに大きな怒りを禁じえませんでした。死刑廃止運動の強まりに対する法務官僚たちの激しい抵抗に他ならず、死刑制度存続のための死刑執行以外の何ものでもありません。新聞の記事によると、国連人権委員会から死刑廃止の勧告があったそうですが、今回の死刑執行はそれへの日本の法務省の回答というわけでしょう。しかも、「死刑執行に反対のものは法務大臣になるな」という彼らの要求は、議院内閣制の建て前をもかなぐり捨て、官僚内閣制ともいうべき現実を人々につきつけるものになっています。今年になっての死刑執行再開は、そこにこういう権力問題が横たわっていること、権力の究極の本質が死刑という合法的殺人にあり、その合法的殺人を手離すまいとしていることを公然化させる役割をはたしており、憲法改悪に向けた、自民党一党独裁体制にとってかわる保守＝大政党制への権力再編の演出と一体の攻撃といえましょう。

今回の死刑執行によって九〇年代の攻防の一角に死刑制度をめぐる攻防があることがより明確

になったわけで、死刑廃止のための闘いの大衆的発展のために一層の努力をしなければならないことを強調せずにはいられません。

とにかく、今回の死刑執行ほどやりきれない思いにさせられたことはありません。というのは、東京拘置所で執行された関幸生さんは、彼の刑が確定する前までは隣の房にいた人だったからです。死刑判決を受けるような殺人事件を起こしたとは思えないような明るい人でしたが、その彼が一度決意を秘めた真剣な顔をしたことがありました。それは、彼の控訴審判決があったあとの入浴の日、一緒に風呂場へ行った際に、彼が僕に、「俺は上告しないよ」と言ったときでした。そのときの彼の思いを秘めた目は、一〇年近くたった今でもありありと思い出します。関さんには、死刑に対抗することの必要を強調してみたものの、言葉の無力さを感じさせられるばかりでした。そんなわけで、死刑執行が再開された時、彼の死刑執行も早いだろうと思っていたので、彼の名を目にしたとき、死刑制度の現実をより生々しく突き付けられた思いがしました。

死といえば、一〇月二〇日の野村秋介氏（河野一郎邸焼き打ち、経団連ビル占拠などを行った行動右翼を代表する一人。一九九三年一〇月二〇日、朝日新聞東京本社において拳銃で自決）の朝日新聞社での自決には驚かされました。予想もしていなかったことであり、それどころかこれからも活躍し続けていくことだろうと思っていたので、自決のことを耳にしたとき、思わずうなってしまいました。野村氏の自決がこの現代においてどのような意味をもつのか、簡単には評価できませんが、しかし、これによって野村氏が思想と行動を一致させ生涯をまっとうしたことは、思想と行動がかけ離れ、思想的に衰退し、荒廃していく日本人に対しての鋭い批判と警鐘であることを指摘しないではいられません。大悲会の蜷川正大さん（故野村氏の真弟子として、行動派右翼の精神を継承。現在、二十一世紀書院を経営しながら、野村氏の著作を出版している）たちには、野村さんの思想と行動を大事に守り育てていってほしいと思います。

　ところで、やはり思想と行動の一致を生涯にわたって貫ぬいた人として、もう一人の死に触れないではいられません。それは、一一月一四日に亡くなった梶大介氏です。梶大介氏が山谷を拠点にして下層労働者の解放のために闘って来られた先駆的な業績は、日本の左翼の欠点を鋭く指摘するものでもあっただけに、どんなに高く評価しても評価しすぎることはないと思います。梶大介氏の名が山谷という地名と一体のものとしてあるのは、その証左です。梶大介氏には、連赤としても、また個人的にも一方ならぬお世話になっているだけに、生前にお会いすることができなかったのが残念でなりません。

　梶真里子さんはどうしておられるか、はなはだ気になるところです。刑死した関幸生氏たち四人の死刑囚の方々、自決した野村秋介氏ともども、甲府刑務所より深く哀悼の意を表させて頂きます。

　さて、僕の方は、例によって快調にやっています。甲府は、一一月の下旬になってからぐっと冷えこみ、朝方には氷点下になる日もあって、冬らしい寒さを感じています。南アルプスの山々にも雪が本格的に積もり、晴れた日には、間ノ岳や北岳が青い空を背景に白く輝いていて、感激させられます。ずっと南の笊ヶ岳の方も白くなっており、この分では黒柱河内岳も白くなっていることでしょう。

　雪山の白さの鮮烈な美しさには、複雑な思いにさせられますが、それは雪山の美しさが、同時に過酷な厳しさと一体のものであることによるわけで、この厳しさを知ることができてこそ、雪山の美しさにも接することができるのではないかと思います。平地の山々はもう紅葉もすぎ去りましたが、これからは当分の間、南アルプスの雪景色を楽しめそうです。

　甲府の夜から朝方にかけての冷え込みは、盆地のせいもあるのでしょうが、厳しいものがあります。しかし、工場内では一一月二九日からストーブが入り、温かい思いをしています。二〇年ぶりのストーブというわけですが、おかげで、東京拘置所のみんなには申し訳なく思っています。とにかく、これで冬は楽に越せるわけで、工場内にいる限り、靴下をはく必要さえなさそうです。それに、運動の時には、せっせと走り込んで体を鍛えています。はじめは、走っている人は僕を含めて二人位しかいませんでしたが、今では段々と増えてきており、みんなによい影響を与えているようです。

　仕事の方は、おかげさまで、だいぶ上達しました。工場に入ってから半年の水準としては、僕なりにまずまずのものと思っています。しかし、納得いくだけの縫い方ができるには、一年はかかりそうです。ミンクの原皮の方は、残念ながら相変わらず十分に入ってきておらず、不況の影響を感じさせられていますが、それでも月七着のペースは維持しています。それに、先月は、倉庫の奥から在庫をひっぱり出してきたようなボロボロのひどいミンクの原皮が送られてきたものの、それをもとにきれいなコートを三着も作ることが出来、まずまずの成果をあげています。そのままでは使いものにならないミンクの毛皮から、きれいな部分だけを切り取ってつなぎ一着の上質のコートを作るというのは、非常に手間のかかる大変な作業ですが、それだけにキラキラと輝くようなコートが出来あがったときには、コート作りの仲間たちと喜び合いました。そのかわり、一着のコートを作りあげるのに、なんと約六〇匹ものミンクの毛皮を使うことになり、なにやらため息が出てしまいます。

ミンクのコートが高いのは、結局、手間のかかる非常にめんどうな仕事のせいで、特殊技術を必要とするからですが、それだけに際立ってしまうのは、作業償与金の安さでしょうか。まったくほんの申しわけ程度のもので、これならもらわない方がましだと言いたくなりますが、ともあれ、この間の償与金を報告しておきます。三月は三〇三円、四月は六四三円で、これは東拘での袋張りによるものです。甲府刑務所の工場に出てからのものはこれ以降で、五月は五一二円、六月は一〇一二円、七月は一一五四円、八月は一四一一円、九月は一四四七円、一〇月は一六〇八円といった具合です。ここに書くのもイヤになってきますが、これが一着四〇万円もするようなコートを月に七着も作っている者の一人の償与金というわけですから、笑い話のネタになりそうです。もちろん、三年以上やっている人になると、もっとずっと沢山もらっていますが、それでも高が知れたものというわけです。

（一九九三年一二月七日）

南アルプスの眺めに感動しています

墨絵クラブに入部

アタフタしている間に、新年の一月ももう中旬を過ぎようとしていますが、お元気ですか。今年の正月はいかがでしたか。甲府刑務所の正月といっても、仕事に追われて迎えたためか、正月らしい実感がないまま、過ぎてしまった感じです。もっとも、さすがに刑務所のためか、正月に出た特別食はなかなかのもので、なんといっても量の多いのに驚きました。おかげで、日頃の食事の量の少なさを一度に補った気分です。皆の話では、去年よりは少し落ちるそうで、どうやらもち米の値上がりなどがひびいているようですが、それでも僕には満足のいくものでした。

新聞では、山陰の方ではかなり雪が降り、大山では四人の登山者の遭難死を報じたりしていましたが、甲府の方では、二度ほど雪がちょっと降った程度です。ただし、まわりの山々には雪が降っており、南アルプスの山々は真っ白で、その山を越えてくるからっ風の冷たさはなかなかのものです。それでもここ数日は、日昼は暖かい日が続いています。工場の方は暖房があるからいいようなものの、舎房の方は暖房がありませんから、土、日はブルブルガタガタです。しかし、この寒さに体を慣れさせるために、長袖のメリヤスやズボン下などははかないで過ごしており、この調子では、これらを使用しないでもこの冬は乗り切れそうです。しかも、少しでも体を暖めようと、房内体操の時間に腕立伏せをやっているので、体力もついてきました。一時は、連続で五〇回位しかできなかったのが、今では、連続一一〇回、一〇分間ほどの間に二二〇回できるようになりました。当面の目標は、連続二〇〇回です。体力を維持し、強化することも、獄中生活を乗り切る闘いのうちというところでしょうか。

　とにかく、ミシンのミの字も知らなかった僕が、変てこなミシンを扱っている様子は、想像もできないことでしょうが、かくいう僕にしても、ここまで縫えるようになるなんてかつては信じられませんでした。もっとも、これも、このミシンによる製縫が、特殊な機械を扱うようなもので、本来のミシンによる製縫と違っていたからこそ、出来たことかもしれません。今は、一着一着縫っていくのが楽しみであり、きれいに縫えたときの満足感はこたえられません。この調子で、完璧といえる水準に到達していきたいと思っていますが、こればかりはあせってもどうにもならず、よりきれいに縫うことを心がけていくしかありません。

　ところで、処遇の方ですが、この一月から三級になりました。もっとも、三級になったからといって、面会と発信が月二回になったことぐらいしか変化はなく、四級と大差はありません（懲役囚の処遇には四級から一級までの四段階があり、等級が上るにつれて毎月の面会や発信の回数、お菓子を食べながらビデオ映画を鑑賞する集会の数、賞与金の額が増えるなど処遇が少しずつよくなっていくが、懲罰を受けると級が落とされる）。従って、このこと自体、特筆すべきことはありませんが、このことよりも、特筆すべきことは、物理の英文の本の閲読が可能になったことと、墨絵クラブに入ったことでしょうか。

物理の英文の本とは、先々月送ってもらった『FIELD THEORY IN PARTICLE PHYSICS』（訳せば『素粒子物理学における場の理論』）のことですが、英文の本の扱いは、東拘ではなにかと問題をひきおこしていただけに、まさに特筆すべき変化というわけです。これで、物理の英文の専門書を安心して手に入れることができそうですし、物理の学習にも一挙に幅をもたせることが可能になりそうです。というのは、この物理の専門書の層の厚さという点では、やはりアメリカにかなわないからです。

「墨絵クラブ」は、実は、この甲府刑務所の教育課に交渉して実現したものです。はじめは何か絵画クラブと思っていたのですが、教育課の方でも同じようなクラブを考えていたので、うまい具合に可能になったというわけです。水墨画なら、僕としても大歓迎ですからね。そんなわけで、この「墨絵クラブ」にさっそく入部しました。しかし、この墨絵用の道具や用紙を自費で購入しなければならず、これでいささか出費を強いられてしまいました。

クラブといっても、月一回講師が来て教えてくれるだけのことですが、むしろ魅力は、房内で絵を描くことができることになったことにあり、これはなかなかのものです。こういうことが可能になるのも、刑務所ならではです。

寒い日がまだまだ続きますが、お体にはくれぐれも気をつけて下さい。ではまた。

（一九九四年一月一七日）

賞与金は安いのですが…

二月も、もう中旬。早いものです。もうすぐ二月一九日。最高裁で判決があってから一年になろうとしていますが、あわただしく過ごしてきたせいか、判決があってから一年という実感がわいてきません。逆にいえば、それだけ印象に乏しかった判決だったというところでしょうか。むしろ、二月一九日といえば、二二年前のこの日、僕が逮捕（一九七二年）され、それとともにあさま山荘の銃撃戦が始まった日としての印象の方が強いくらいです。そういう日に判決を行ったのですから、もう少しまともな判決にしてほしかったものだという思いを改めてもたされます。

お手紙によりますと、鳥取は一面銀世界とのこと。甲府では二月一日に雪が降り、一五センチ程積もりました。その後しばらく暖かい日が続いて雪は一旦溶けたものの、一二日に太平洋側に降った雪が甲府でも二五センチ程積もり、すっかり雪景色となってしまいました。その後は、南アルプス越えの冷たいからっ風が吹いていています。それでも今日は良い天気だったこともあって、刑務所内の道路の雪はほとんど溶けたようです。しかし、まわりの山々は、相当積もったようで、墨絵のような雪景色が広がっています。ただ、南アルプスの方は雪雲がかかっていて、今日は残念ながら眺めることはできませんでした。それでも、風のないよく晴れた日には、舎房の方の二階の廊下の窓から、駒ヶ岳から笊ヶ岳までが一望のもとに眺めることができ、その美しさにはため息さえ出てきます。とにかく、駒ヶ岳、鳳凰三山、白根三山、それに続く南部の山々がほとんど全て見えるのですから、たまりません。このように南アルプスの山々が見渡せることに、改めて驚かされたりしています。もっとも、考えてみれば、保利沢山から黒柱岳に至る尾根に登ったとき、そこから甲府盆地が見えたのですから、ここからそれらの山々が見えても不思議ではありません。それでも、あそこがベースのあった山だと思うと、意外な思いにさせられるのです。そんなわけで、雪におおわれた南アルプス北部の山々の眺めを、しっかりと見させてもらっています。

ところで、仕事の方は、例によってミンクの原皮が入ってこないためとぎれがちですが、それでも、ミンクの毛皮と一緒に縫うレザーを切ったり、ミンクの尻尾でキーホルダー用の玉を作ったり、手さげバックを試作したりと、いろいろやっています。それに、ミンクの毛皮を縫う方も、かなり満足のいく水準になりました。というのは、先週、この毛皮縫いを僕と一緒にやっているいわば相棒が風邪をひいて熱を出し、入院してしまったため、コートをほぼ一着分全て縫うことになったのですが、これをこなすことができたからです。つまり、これでコートの毛皮の部分は全て縫うことができるようになったというわけです。あとは、縫った毛皮の裁断、裏地のとりつけ、仕上げの工程を習得することが残っていますが、この方は、まだ先のこと、恐らく来年からさ来年にかけてのことになると思います。今は、毛皮を可能な限り美しく縫うことに心がけ、高水準の製品を作ることに全力をあげるだけです。

　これで、製品の品質に見合っただけの償与金が出るならばありがたいのですが、この間の償与金の金額は、去年の一一月が一九三七円、一二月が二二七七円といった具合で、相変わらずのものです。もっとも、二千円を越えただけでもましというところでしょうか。しかし、償与金の額を考えていたら、仕事の内容とのあまりの違いで、気が抜けてしまいますので、仕事の方は、償与金のこととは別に、それをぬきにして僕の能力をためす意味で、最高の水準を目指して努力していこうと思っています。

　学習の方は、残念ながら快調という具合にはいかず、時間的な制約から思った程には進んでいません。

　今は、数学をやっていますが、改めて取り組んでいるのがベルヌーイ数。ベルヌーイによって導入されたこの数の不思議さに感嘆させられています。ベルヌーイ数からリーマンのゼータ関数が導かれたり、ベルヌーイ数の定義に使われた$x/(e^x-1)$が、プランクの黒体放射の法則に関連付けられていったりする様子は、数のもつ神秘性をうかがわせてくれます。ベルヌーイ数の超越関数との関係に至っては、ただただ驚かされます。ベルヌーイ数とはいったい何なのか、考えれば考える程不可解な思いにとらわれてしまいます。ベルヌーイ数のあとは、ガンマ関数について学習するつもりです。代数幾何などに手をつけるのは、まだまだ先のことになりますが、数学もきっちりと学習したいものです。

教育課に申し入れて実現した墨絵クラブの方も、それなりに楽しくやっています。はじめは、二〇年ぶりに筆をもったこともあってぎこちなかったのですが、その筆の扱いにも少しずつ慣れてきました。水墨画での筆の扱いは、水彩画や油絵の筆の扱い方とは全く違いますし、もちろん書道の筆の扱い方とも違います。しかし、墨の一色だけで、さらに一本の筆だけで描くということのおもしろさは、また格別です。五年もやっていれば、少しは人にも見せられるものを描けるようになるのではないかと思います。墨絵クラブなんてものを作っても、誰も参加してこないのではないかと思っていましたが、僕を含めて八名もおり、これには少々驚かされました。もっとも、大半の人は墨絵なんて初めてだという人ばかりですが、絵を描けるということから参加してきたようです。筆の扱い方に四苦八苦しているようですが、それでもけっこう楽しんでいるようです。

そうそう、この一月分の償与金は二七一二円でした。ではまた。　（一九九四年二月一五日）

久しぶりに聞く生演奏

いつの間にか三月になってしまいましたが、お元気ですか。甲府は、三月に入ってからは急に暖かくなり、朝方の冷え込みもゆるくなりましたが、鳥取の方はいかがですか。二月中旬に降った雪はもうすっかり溶けてしまい、近くの山々の雪もほとんどなくなってしまったようです。どうやら、冬も終わったようですが、とうとうこの冬を、ズボン下をはくことなく乗り切ったようで、この調子なら、甲府の冬を楽に乗り切っていけそうです。甲府の冬の特徴は、盆地のせいで夜から朝方の冷え込みがきつく、氷点下五～六度になるのに、昼間はかなり暖かくなり、五～六度から七～八度になり、夜と昼の温度差が一〇度もあること、それと南アルプスを越えてくるからっ風が相当にきついことでしょうか。この風のために、ひどく寒く感じますが、しかし、慣れてしまえば、もうどうってことなく、静岡の牧之原台地のからっ風とどっこいどっこいというところでしょう。もっとも、冬好きの僕のことですから、この程度の寒さは寒いうちに入らないでしょうが、寒さなんていわば相対的なものであり、弘前にいたとき、冬に東京に出てくると、東京のからっ風が春の風のように感じられたように、この甲府の寒さも、北国の人たちには春のような暖かさに感じられることでしょう。

　この間の変わったことといえば、慰問の演芸が二度ほどあったことでしょうか。いずれも演歌歌手たちばかりですが、一月二九日には、佳川ヨコという歌手が他の二人と来ました。なかなかおもしろい歌手で、歌も悪くなかったですが、演歌ではどうもいまいち有難味がありません。二月二六日には、おかみどり、五条夕子といった静岡の歌手が来て歌いましたが、このとき一緒に来ていた伝兵衛&なんとかというグループのギター演奏がよかったです。もっとも、とびきり上等といった一流の演奏家たちというわけではありませんが、生演奏なんて、実に久しぶりでしたので、非常に新鮮に感じました。

とにかく、この甲府刑務所は、慰問の演芸があまりありません。他の刑務所にはよく来るそうですが、そのへんのところどうなっているのか、よくわかりません。一度問い合わせてみようかとも思っています。

そうそう、僕の方に二月二三日付けで、裁判費用の負担を免除する決定通知がありました。『永田洋子のお元気?・通信』（永田さんをささえる会発行）によると、永田さんの方に一〇〇万円もの請求があったそうで（坂口さんの方にも）、びっくりしてしまいました。免除の申し立てをしなかったのでしょうか。

（一九九四年三月七日）

三浦和義裁判と権力の隠微さ

四月ももう中旬。四月に入って急に暖かくなり、桜が一気に咲いて、早々と散り始めています。しかし、目にする周りの山々はまだ春らしい感じがしません。一昨日の雨は山の方では雪だったようで、再び雪化粧した山もあります。とはいえ、これからは日増しに暖かくなり、周りの山々も急速に春めいていくことだろうと思います。鳥取の方は、すっかり春の雰囲気に包まれていることでしょう。

僕の方は、相変わらずの調子で元気でやっています。変わったことといえば、これまで懲罰房のある舎房の二階にいたのが、この四月からみんなのいる舎房に移ったことでしょうか。ここは三階であり、おまけに前の舎房と違って、窓にフェンスがないため、外の景色がよく見えます。東向きなので、南アルプスの山々は見えませんが、そのかわり、奥秩父や奥多摩の山々がよく見えます。大菩薩峠も見えているのでしょうが、どれがそれかちょっとよくわかりません。もう二五年も前になる大菩薩峠での赤軍派の軍事訓練部隊の逮捕（一九六九年一一月五日、首相官邸占拠に向け、山梨県の大菩薩峠で軍事訓練を行っていた五三名が逮捕される）のことを知っている人たちは、そのことを話題にして僕をひやかしたりしていますが、ここから見えるそれらの山々はまだ白く雪におおわれています。けっさくなのは、酒折の採石場のあった山が見えることです。もうかつての山の形とはすっかり変わってしまいましたが、かつてこの採石場の向いのアパートにアジトを設けていたのかと思うと、なにやら不思議な思いがしてきます。どちらを向いても、いわくつきの場所が見える、というわけです。それにしても、こうして見ると、改めて甲府が高い山々に囲まれた典型的な盆地であることを強く感じさせられます。七一年に甲府に初めて来たのは、ちょうど今頃の四月の上旬、桜や桃の花が満開だったのを思い出しますが、あの頃は、あまり周りの風景に注意を向けている余裕がなかったのが正直なところです。

さて、この三月は、注目していた重大な判決が二つもありましたが、いずれの判決も、日本の裁判の後進性を改めて印象づけるものとなったようです。一つは、圧力鍋爆弾製造で爆取（「爆発物取締罰則違反」のこと）に問われた中核派の五人に対し、「捜査は違法だったが、その程度は重大ではない」として有罪の判決を下したこと、もう一つは、「ロス疑惑」で裁判中の三浦和義さんに対して、状況証拠なるものによって強引に有罪にし、無期の判決を行ったことです。違法捜査の容認は今に始まったことではなく、先の丸岡さんの判決でも演じられたことですが、それをここまであからさまに表明したのは珍しいことです。僕の記憶では、七一年の米子でのM作戦で逮捕された仲間に対する裁判の判決以来ではないかと思います。というのは、一時、違法捜査で押収した証拠は証拠にはならないという判決を耳にしたりすることがあったからです。結局、「法秩序」の維持のためには警察の違法行為も認めるという政治的判断を優先させた前時代な日本の裁判所の体質を如実に示しています。

しかし、三浦さんへの有罪・無期判決は、さらにあきれてしまいました。証拠なしに有罪としたのですからね。マスコミでさえ予想していなかったのか、困惑したような報道の仕方が感じられました。無罪としかいいようがないのに有罪にしたこと、しかも言葉の綾としか言いようがないこじつけによって有罪としたことに、やりきれないほどの怒りを感じ、三浦さんの無念さを思わないわけにはいきませんでした。この有罪判決は、日本の裁判所の後進性に加えて、とめどもなく進行している日本の国家権力の腐敗のひどさの一端を示しており、吐気をもよおすような腐臭が漂ってきます。というのは、この判決には、土台がガタガタになっている日本の国家権力が、その延命のために、マスコミが寄ってたかって行った三浦さんへのリンチを追認することによって、マスコミを権力の側に囲い込み、マスコミと権力との間に隠微な共犯関係を作ろうとする政治的意図が貫かれているからです。言いかえれば、この間のマスコミの変質ぶりと無関係ではないだろうということです。

ともあれ、三浦さんには、腹立たしさややりきれなさに負けず、新たな決意をもって頑張ってほしいと思います。幸い、アメリカの裁判所が全ての証拠を開示するよう命じる判決を出しており、これが控訴審で強力な武器になることでしょう。

ところで、細川首相が、フラフラしたあげくとうとう辞任を表明しましたが、要は、増税路線を強引に押し進められるだけの勇気のない細川首相は御用済みとなったということでしょう。小選挙区制の導入、コメの自由化という悪政の道を開く上で、細川首相を官僚・保守層が利用してきたことがこれではっきりしたというわけです。日本の首相—内閣は、官僚政治のための看板にすぎない現実は、今後、ますます明瞭になっていくことと思います。というのは、これまで曲りなりにも官僚政治の実体をおおい隠す役割を果してきた田中角栄—金丸信に代表される金権政治派が解体されてしまっているからです。従って、こうした現実は、日本の国家権力の弱体化とともに人民との間のあつれきを一層高めていくことと思います。

先日、手元に届いた『POLITICS』（№99）に、ガンジーが七つの罪悪として、「一、原則なき政治、二、労働なき富、三、良心なき快楽、四、徳なき知識、五、道義なき商い、六、人間なき科学、七、犠牲なき信仰」をあげていたことが書かれていましたが、これらは今の日本に見事な程そっくりそのまま当て嵌ることを指摘しないではいられません。七〇年代から八〇年代の経済大国化を通して、まっしぐらにこの罪悪の沼地にのめり込んで来た日本の現実こそ、この間、獄中から見て来たものに他ならないというわけです。九〇年代は、日本がこの沼地の中でのたうちまわり、ますます罪悪の深みに嵌り込んでいくことでしょう。

パンフ類は、いろいろと届いています。まったく深謝、深謝です。みんなに心からのお礼を伝えられないのが残念です。これだけ多くの人たちが僕のことを忘れないでいてくれることに、勇気づけられるとともに、責任を感じてしまいます。

刑務所にいると、文書の作成などに追われたりしていないこともあって、パンフを隅から隅までていねいに読むことができます。そんなわけで、これからは、パンフへの意見や感想などを、できるだけ手紙の中に書いていこうと思っています。これで、少しでも皆との交流ができれば、幸いです。

この間読んだパンフの中で一番印象に残ったのは、やはり、『ザ・パスポート』（日本赤軍を中心とした帰国者の裁判を考える会が発行している小誌）の三八号、三九号に掲載されていた丸岡さんの最終意見陳述書でしょうか。全くすばらしい内容であり、思わず「イギなし！」と言ってしまったところが何箇所かありました。また、アラブでの日本赤軍に対しての具体的な評価もすばらしかったし、イスラエルの蛮行を非難しているところ、そして、それを報じようとしない日本のマスコミの現実を批判しているところでは、怒りを共有させられました。最後に述べられている

「私の立場」について、全く異論はありません。もちろん、連赤の総括については、相違があるでしょうし、あって当然です。しかし、その総括に基づいた方向に相違があるわけではなく、基本的に一致しているのですから、この相違はたいした問題ではありません。共に話し合えるようになれば、たちまち解消することでしょう。ともあれ、丸岡さんの最終陳述は、なにやら久々になつかしい人の声を聞かされた思いがしました。

（一九九四年四月一〇日）

「中国的現在」とシューベルトのこと

パンフ類については、多分、送られてきているものは、ほとんど全て届いていると思います。どのパンフも、じっくりと読んでいると、なかなか味があり、考えさせられることが度々ですが、中でも『オルタ通信』（第三世界の問題を特集している月刊のパンフ）は、第三世界の人々の様子がよくわかって大いに勉強になります。とてもマスコミからは知ることのできない生の現実ですからね。ただ、いささか疑問をもたせられるものもあります。たとえば、『オルタ通信』（九三年一〇月号）で特集していた「中国的現在」がそれです。第三世界の諸国のことについては、極めて冷静に、かつ適格に書かれているのに、社会主義国のこととなると、逆に主観的な扱いになってしまうという傾向が、『オルタ通信』にもあるようですが、この「中国的現在」の記事は、現在の中国が行っている「改革・開放」に対して、あまりにも悲観的な見方をしているのではないかと思わざるをえません。

確かに、「改革・開放」による市場経済の導入は、当然のことながら、商品経済の発展、資本主義的諸制度の形成によって、貧富の格差、資本主義的な腐敗や犯罪、乱開発や公害、失業などを生みだしており、しかも、欧米や日本がもち込む資本主義的な悪習や眩惑がそれらを助長し、多くの問題を引き起こしています。そして、かつては中国社会主義の美風として称えられていた建設への奉仕や自己犠牲、献身、誠実といった精神が失われてしまったかのようにみえます。しかし、これらをもって、中国は社会主義でなくなり資本主義に変質してしまったとみなすことは、社会主義というものに対して完全に誤った認識をもっていることを示すものに他なりません。なぜなら、今の中国にとって必要なのは、なによりも、社会主義のための経済的基礎を建設することであり、そのことを通して、それに照応した社会主義的な思想的政治的諸制度を準備していくことであり、そして、これらは、市場経済の全面的な発達による社会的分業の創出によってのみ可能なことだからです。

社会主義とは何かといえば、それは、生産手段の共同所有制と全面的な社会的分業に他なりません。ところで、この社会的分業は、歴史的には生産物を商品として生産し交換する市場経済を通して形成されてきたものであり、資本主義は、この市場経済の全面的発達を通して、社会的分業を全社会的に形成し、それによって社会主義の物質的基礎を準備しています。しかし、生産手段は独占資本の手に集積、集中されているとはいえ、依然として私的所有制のもとにあり、ここに、この生産手段の所有の私的性格と生産の社会的性格の対立として資本主義社会の基本的矛盾が形成される根拠があります。

これに対して、中国の場合は、資本主義の未発達のまま、従って社会的分業の未形成のまま社会主義に移行するという問題をかかえている社会です。つまり、社会主義の物質的基礎が不在のまま社会主義的所有制に移行した社会というわけです。これは、ソ連についてもいえることですが、これこそ、ソ連や中国での社会主義建設の様々な試みが次々と失敗してきた根本原因に他なりません。だから、中国においては、社会主義建設のためにはなによりもまず社会主義の物質的基礎を創出する必要があること、それには市場経済を活用する以外にないことが、基本路線として要求されることになります。だから、この必要を認めない者は、実際には、資本主義に単純に反発するだけで、社会主義の問題をまじめに考えていないと言っても過言ではないと思います。

市場経済の発達は、どこの国でもそうであったように、共同体的社会や家族的社会を解体する一方、資本主義的な腐敗や犯罪、乱開発、失業などの問題を生み出していきますが、しかし、それらは、まさに生産力の未発達な状態に照応した自給自足的な共同体的家族的社会の崩壊に伴うものであり、諸個人の自立した自由な精神によって構成される市民社会が未形成であることによるものに他なりません。問題は、そうした革命的変革の移行をいかに少ない苦痛で、無理なく行うかであり、ここに、社会主義政権としての真価が問われる根拠があると思います。そして、この点で、中国共産党と中国政府は、かなりの成果をあげていると思います。

このことは、喪失しているかのようにみなされている奉仕や自己犠牲、献身、誠実といったかつての革命的精神についてもいえます。というのは、かつてのそれらは、確かに、中国解放の革命の中で偉大な役割を果たしましたが、しかし、社会主義建設の中で問われているものは、高度な科学的知識と経営能力であり、これらがなければ、どんなに革命的な精神でも、はっきりいって何の役にも立たない愚直なだけの盲目的精神にすぎません。逆にいえば、必要なのは、科学的知識や経営能力に支えられた革命的精神であり、それがない革命的精神は、衰退して当然というわけです。

こういう風に考えたとき、今の中国の躍進ともいえる経済発展に対して、悲観的に見ることは全く正しくないことが分かるのではないかと思います。まあ、このへんのことは、僕の主張としては目新しさはありませんが、中国の社会主義的市場経済による経済発展に対して日本の左翼が正当に評価しえないということは、まったくもってやりきれない思いにさせられます。結局、これも社会主義に対しての認識がきわめて立ち遅れていることと無関係ではないのでしょうが、資本主義批判が単なる反発的批判にとどまっていた段階から大いに成長してほしいものだと思います。

『伊呂波通信』(「連赤問題を考える会」の会報である『悪党通信』を発行している大塚美春さんの私的な通信)(五)(六)で、大塚さんがシューベルトについて書いていること、なるほどなるほどと思いながら読みました。シューベルトに対して、一般に不当に低くみられているという吉田秀和氏の指摘はその通りであり、シューベルトが「ベートーヴェンというそびえ立つ巨人の打ち立てた記念碑的な大音楽の構成の秘密を何とか手に入れようとする凄じい精神」を持っていたことは、シューベルトの多くの曲から読みとれます。とにかく、シューベルトは、ベートーヴェン的表現をなんとか自分の音楽の中にとり込み、それによって自分の音楽を表現しようと悪戦苦闘しています。そして、残念ながら、その多くは、シューベルトの手にあまったのか、成功しておらず、むしろ構想だおれに終わっています。そのよい例が、「未完成」交響曲でしょう。しかも、その苦闘が実っても、ベートーヴェンの存在があまりにも巨大で、どうしてもベートーヴェンの影響を受けているぶん、ベートーヴェンと比較されてしまうため、低く評価されてしまいがちで、そこにこめられたシューベルトの努力は見すごされてしまいます。

まあ、これも無理からぬことでしょうが、しかし、こうしたシューベルトのもつ音楽の特質に気がつくならば、シューベルトの音楽に対して、全く別の面から興味をもって接していくことができるでしょう。そういう曲の代表として、僕は、シューベルトのピアノ・ソナタと「死と乙女」をあげているわけですが、これらの曲は、ベートーヴェンの影響をもろに感じさせながら、ベートーヴェン的音楽の構成を通して、シューベルト独自の世界が表現されていることを感じさせられずにはおれず、そこに新しい音楽的発展の方向を予感させるものがあるといえると思います。

大塚さんのベートーヴェンのピアノ・ソナタへの取り組みも、相当に進んでおられるようですが、二六番のすばらしさへの言及は、うれしいですね。二六番は、二三番などとは違った、もっと深い魅力があるように思います。この二六番のその魅力は、一言で言えば、ピアノによる思想的表現の自由な展開といっていいかもしれません。そして、これこそ、後期の作品に通じるものに他なりません。ベートーヴェンの中期から後期へ至る過渡期の音楽の特徴については、いずれまた書きたいと思います。

（一九九四年四月二七日）

南アルプスがシルエットに…

一体いつまで続くこの暑さと言いたくなりますが、それでもその暑かった夏もやっと終わりつつあるようで、日中は暑くても、盆地特有の気候のせいで、朝方はめっきり涼しくなり、やれやれという思いです。もう三八度だの三九度だのといった猛烈な暑さはないでしょうが、このような異常な高温の日々が続いたせいか、三二〜三度くらいになっても暑いと感じなくなってしまいました。体調が異常な高温に順応してしまったのかどうか知りませんが、暑さの苦手な僕が少しくらいの暑さにもへっちゃらになってしまったことに、われながら驚いています。

僕の仕事の方は、例によって順調にいっています。仕立ての仕事に移ってからは、なんだか仕事の量が増えてしまったような状態で、忙しい毎日が続き、「熱い、熱い」といいながらいろんな仕事を日替りメニューのようにやっています。それでも、ここのところ少し余裕が出来たので、また仕立ての仕事を行い、今は身頃の部分の仕立てから仕上げの工程を習得する練習をしています。ミンクの毛皮とレザーとで縫い上げられ、水張りして型を整えた身頃の部分を型紙に合わせて切断し、前と後の部分をくっつけ、それに前立てなどを取りつけ、ドミットという防寒用の柔らかい布や毛芯を縫いつけ、ポケットを取りつけ、襟をつけ、そのあと裏地をつけ、袖をつけ、飾りをつけて仕上げとなるわけですが、やっかいなのはポケットの取りつけ、襟の取りつけ、裏地の縫いつけ、袖の取りつけでしょうか。毛皮を縫うミシンを使うだけでなく、普通の平ミシンも使い、まったく冷汗のかき通しです。というのは、平ミシンで縫う部分は、それ程多くないとはいえ、曲線の部分ばかりだからです。これらの工程を考えると、はじめのミンクとレザーを縫い合わせる縫い方の仕事の方が比較にならないほど楽です。もちろん、この仕立てと仕上げの工程もなれてくればおもしろいでしょうが、まだまだとてもそんな余裕はありません。一着四〇万円で売られることになるコートを作っているのですから、まったく恐ろしくなってしまいますが、なんとか高級品の名に恥ないものを作れるよう努力したいと思います。あと僕が専門に担っている工程は、水張りとレザー切りです。水張りは、送られきたミンクの原皮を水に濡らして広げ板に張りつけることと、ミンクとレザーを縫い合わせたものの型を整えるために、再び水に濡らして型通りに板に張りつけることですが、いずれもそれなりにやっかいで力もいり、うまくこなせるようになるまで二〜三ヶ月かかります。レザー切りの方は、ミンクの毛皮と一緒に縫うレザー作りで、これは牛または豚のレザーを幅一センチ、長さ四〇センチ〜六〇センチのテープ状に切る仕事です。これは以前は、機械で切っていたのですが、機械で切ると、波型に切れるために縫いにくく、しかもきれいに縫えないため、毛皮を切る包丁を使って手で切ることにし、それを僕が引き受けているというわけです。一着分に使用するレザーは、大体二〇〇本くらいなので、手間がかかりますが、僕なりに楽しんでやっています。ただし、この仕事は、レザーを切るとき、ちょっと手元が狂えば大きくゆがんでしまうし、まちがえば自分の指を切り落としてしまいかねず、気持ちの集中と気合いが必要で、誰にでも出来るものとはいえないようです。そのかわり、一本一本まっすぐに切れるので、非常にきれいで、いいものができます。

そんなわけで、このレザー切りの仕事は、当分僕がやっていくことになりますが、水張りの仕事はいずれ新入がきたら引き継いでもらうことになるでしょう。

六月下旬に東向きに窓がある独房から今度は西向きに窓がある独房に移りました。この独房の方には窓側にフェンスがあり、従って眺めはよくありませんが、このフェンスには斜めにすき間があるため、このすき間から南アルプスの南西方向の山々を見ることができます。そんなわけで、これからはこの房から秋の夕焼け空とそれを背景にした南アルプスの山々を眺めることができそうで、今も夕焼け空を背景にその山々がシルエットのように浮び上がっています。それにしても、夏の南アルプスは、ここから見る限り、いささか単調ですが、山々の大きさだけは十分にかんじさせられます。ちょうど西の方向に櫛形山があるのですが、その櫛形山は標高二千メートルあり、鳥取の大山よりも高いのに、背後に三千メートル級の山がドーンとひかえているため、平凡な低山に見えてしまう程なのです。

早朝、山々の中腹に朝霧が層状にかかっていたりしたときの眺めには、水墨画的な雰囲気があり、感動させられます。また、夏の暑い日射しの中で、南アルプスの山々の中腹や頂きから雲がポツリポツリと湧き、それがだんだん大きくなっていく様子もなかなかのものです。白雲生ずるところ青山ありではありませんが、やはり日本の山々には雲や霧が似合っています。


（一九九四年九月五日）

工場対抗のイベントと泉水博さんのこと

早いもので、一〇月ももう終わりとなってしまいましたが、お元気ですか。朝方はめっきりと冷えてきて、いよいよ秋本番という感じですが、山の方も上の方から急速に色づいてきており、遅れている南アルプスの初雪もそろそろ見られるのではないかと思います。

お手紙、受け取りました。お元気とのこと、なによりです。僕の方は相変わらずの毎日で、元気にやっています。刑務所内は、一〇月の運動会も終わって、いっきに年末に向かおうとしています。去年の運動会では、俵かつぎリレーなど二つの種目に出て二位と三位、商品に石けん一個とボールペン一本をもらったのですが、今年は、八〇〇メートルリレーに出て、決勝戦に残ったものの、四位で賞品なしでした。石けんの一つぐらいはと思っていたので、いささか残念でしたが、それでも八〇〇メートルリレーに出られるくらいに体が回復してきたのが、大きな収穫でしょうか。なにしろ、去年の今頃は、全力で走るとまだ足がもつれたり腰が泳いでしまったりして、まともに走ることもできませんでしたからね。

運動会は年に一度の大行事で、工場対抗の形式で行われます。小規模の刑務所とはいえ、それでも一〇工場あり、さらにそれに炊場や営繕、内掃などが加わって、全部で一二のグループの対抗試合となりますから、けっこう盛り上がります。僕のいる第四工場は、今は人数が二六〜二七人しかおらず、おまけに平均年齢が四八歳と高齢のため、いつもは後から数えた方が早いような順位にしかなりませんでしたが、今年は五位と上位にくい込みました。この順位は大体八〇〇メートルリレーの順位と等しく、やはり人数が多くて若い人が沢山いる工場が圧倒的に有利です。そんなわけで、第四工場としてはハンディをつけろと声を大にしたいところですが、しかし、年に一度の運動会は、唯一の全懲役囚が集まってのレクリエーションであり、順位に関係なしに大いに楽しめる行事です。応援合戦もあれやこれやと工夫しての出し物があり、笑わせてくれます。しかも、運動会には特別食の他に、果物も出、これはありがたいです。去年はぶどうが出ただけでしたが、今年は、ぶどうの他に柿が出ました。二〇数年ぶりの柿でした。

一一月になると、工場対抗のソフトボール大会がトーナメント方式で始まります。これは、全工場が一堂に会するわけではないので、行事としてのおもしろさはいまいちですが、強い工場は相当力を入れているようです。第四工場は前は強かったそうですが、今は弱い工場の代表のようなもので、いつも一回戦で敗退しています。今度も、対戦相手が前回優勝の工場とあって初めからあきらめムードです。人数的、年齢的にいかんともしがたいものがあり、弱いなら弱いなりに闘い方があるものの、そのへんのところを考える気持ちもないようで、やりたいようにやっているという感じです。僕は、まだまだソフトボールをこなせるほどには運動神経が回復していないし、おまけにボールを投げると肩が痛いので今のところパスしています。体を動かすことのなかった二〇年のギャップはあまりに大きく、まだまだ体力や運動神経を回復させることの方を優先させなくてはなりません。

　この間の出来事としては、あと七月初めに行った巡閲官に対する「情願」の回答が九月末にありました。「情願」の内容は、点検の簡略化、工場への出役、還房の際の行進の廃止、裸体検身や玉検（刑務所内で性器に玉を入れていないかどうか、性器にある玉の数を数えるきわめて屈辱的な検査のこと）の廃止などです。もちろん、回答は全て却下。しかし、これらに対する何らかの改善のための圧力になるでしょうから、機会がある度にこうした問題をとりあげていこうと思っています。ただ、これら以外の点では、それなりの改善が行われてきています。例えば、夏期処遇の柔軟化がそれです。これには、今年の早い時期からの猛暑のせいもありましたが、おかげで大いに助かりました。それから、特筆すべきこととして、これまで短期刑の者がほとんどだったことや施設がないということで設けられていなかった「一級」処遇が八月から設けられたこと、二年以上の無事故者に対しては、面会の際に「立会《りっかい》」の看守をつけないことにしたことがあります。無事故者というのは、懲罰などを受けなかった者のことで、僕の場合はまだ一年半ですが、短期刑の人が多いせいか、二年無事故者は全体の三分の一にも満たないようです。ここでもう一歩踏み込んで、面会所での面会人との間にあるボードを取り払う、あるいは二年以上無事故者の手紙に対する検閲を廃止する等が実現されれば、本当の意味での改善といえますが、これらはこれからの課題というところでしょうか。

ところで、送って頂いた『怒りていう、逃亡には非ず』（松下竜一著、河出書房新社）、読みました。読み終わって、率直なところ「ウーム」となってしまうしかありませんでした。というのはダッカ事件で日本赤軍に合流した泉水博さんの人生には、様々な変転があったにもかかわらず、一つの筋といえるようなものに貫かれていることを感じないでいられませんでした。泉水さんのその場その場での選択が泉水さんの人生をより過酷なものへと導いていったというのが一般的な評価かもしれませんが、別の面からみれば、それは泉水さんの人生をより大きなものへと転化させていったとみることができるわけで、そうした転化を促した選択に、泉水さんの苦難に満ちた生い立ちを通して培われた人生観が強く働いていたことを感じさせられます。おそらく、泉水さんの人生にとって決定的だったものは、千葉刑務所での決起だったであろうと思いますが、同じく刑務所に身をおいている者として、その時の泉水さんの気持ちが痛いほどに伝わってきます。一九七五年頃といえば、東拘等でも処遇の改善を要求する実力闘争が広範に行われていたときであり、いわば監獄の劣悪な処遇に対する不満や怒りが頂点に達していた時期にあたっていましたから、泉水さんの決起がそれだけの孤立したものとしてあったのではないことは確かであり、これらの間のつながりを感じないわけにはゆきません。

泉水さんの思想的立場は、『自己批判書』の中で、「知識や能力を他人と比較してみることからは、共に生きてゆくという力は生まれない」こと、知識や能力を有していることが、逆に人間性や思想性を貧しくし、悲観や敗北を結果してゆくこと、根本は知識や能力を持つ人間の問題であること、と述べているところに明瞭に現れており、ここには泉水さんの人生観もまた貫かれているように思いました。もっとも、人間性や思想性を貧しくし、悲観や敗北を結果する知識や能力は、とりもなおさず、実際の状況に合っていないものであり、従って、そうした知識や能力は、実際の行動や生活の中で手ひどい失敗となって結果するわけで、かつての僕ら連赤はその典型でしたが、実際の状況に合わない知識や能力は、有害なだけであること、しかし、それらは行動による検証を通して、実際の状況に合った知識や能力に変えていくことができること、ここに問題の核心があります。言い換えれば、実際の状況に合った知識や能力を獲得するよう不断に努力していくこと、これこそ人間性や思想性を豊かなものにし、勝利への道を切り開いていくことを可能にするものに他なりません。

ともあれ、泉水さんにとっては、これからもさらに過酷な状況が続くだけに、それに敗けてしまわないよう勝利への確信をもって努力していってほしいと思います。それにしても、泉水さんに会うこともなく、また日本赤軍の主張をふりまわすことなく、泉水博という人物を生き生きと浮かび上がらせた松下竜一さんの筆力に、敬意を表さずにいられません。このような本では、ともすると筆者の思い入れによる臭さがただよってきがちになりますが、それもなく、それだけに泉水さんの人生を手にとるように感じとることができました。すばらしい本、どうもありがとう。より多くの人に読まれることを、心から願わずにはいられません。

今日はこんなところです。ではまた。

（一九九四年一〇月三〇日）

「かわいい女」と七〇年安保闘争

一一月ももう下旬になろうとしていますが、お元気ですか。一一月に入ると、さすがに初冬らしい寒い日があるものの、総じて今のところ暖かい日が多いようです。それでも、先日、初霜があったということを耳にしました。

外では、総保守化が進行する中で、相変わらず「新党」結成をめぐって魑魅魍魎が蠢きまわり、それをマスコミが何か新しい時代を準備するものであるかのように派手に報じ、政治の現実を隠蔽することに大いに力を入れてバカバカしい思いにさせてくれていますが、政治的に自分たちの要求を主張する場をますます奪われ、政治的無関心を強いられている人々がこれからどう動いていくのか、今のこの閉塞的な政治状況に対してどう対応しようとしているのか、注目されるところです。もっとも、それがはっきりするのは、まだまだ先のことでしょう。今の政治の世界の総保守化が日本をどんな方向にもっていこうとしているのか、それが具体的な形をもって誰の目にもはっきりするようにならないかぎり、人民の側も態度を明確にすることができないからです。もちろん、支配階級は、人民が態度を明確にしようとしたときにはもう遅いように、巧妙に自分たちの政治的目的を実現していこうとするでしょうし、現に、マスコミを総動員しての様々なめくらましと世論誘導によってそうしていますが、しかし、どんな状況にあっても遅いということはないわけで、大切なことはどのような状況に対しても適格に対応できるよう常にあらゆる機会を利用して支配階級の目論見を暴露し自分たちの進むべき方向を原則的に呈示し続けていくことです。支配階級が様々なめくらましによって人民を混乱させ、わけのわからない思いにさせ、一層の無関心を強いている今のような状況においてこそ、基本原則をしっかりと掲げることが必要なわけで、そのためにも、日本の現状を正しく理解していく努力が必要と思います。この点で少々残念に思うことは、刑が確定してしまう前に、日本の現状について歴史的かつ具体的に扱った文書を書いておかなかったことです。もちろん、この問題についてはいろいろな形で扱っており、まったく書いていないわけではありません。憲法問題について書いた文などでも扱っています。しかし、必要なのは、それを総体的にとりあげることです。この点では、そうしたものを書いておく余裕がなかったのが実際のところですが、正直なところを言えば、これを書けるだけの実力が不足してたわけで、これからの課題というところでしょうか。日本資本主義の歴史的総括、それは日本資本主義の絶項期が過ぎ去りつつある今、ますます重要なものになっていくことと思います。

ところで、今村幸一さんが送ってくれた『諸君!』(九四年六月号)からのコピー、「永田洋子と消費文化」(大塚英志著で文藝春秋から『彼女たちの連合赤軍』としてその後、刊行)を、なかなか興味深く読ませてもらいました。ただし、内容については別に目新しいものではなく、すでに連赤の「共産主義化」を封建的(儒教的)社会主義として捉える視点を提示した中でふれていたことですから僕からみれば、到底「連合赤軍事件の画期的解釈」とは言えません。しかし、連赤問題を具体的に理解していく上では、問題をわかりやすい形でとりあげ、女性問題を現実的な問題として考えていくきっかけを与えている点で、注目すべき文書の一つと言えると思います。

それは、連赤の「共産主義化」が女性性そのものの否定であったこと、「共産主義化」は、当時との時代風潮を反映した女性らしさが女性の中で革命と共存してしまうことに対して、暴力的に排除せんとするものであったこと、という指摘です。大塚氏は、この女性性そのものの否定の根拠を、「革命思想がどうのこうのではなく」、「女性への生理的な嫌悪」と述べ、当時の時代風潮を反映した女性らしさを「消費社会的感受性」と表現しています。そして、このような観点から、七〇年安保闘争の敗北を、「結局のところ全共闘の時代の〈左翼思想〉とは最終的にサブカルチャーの中に崩れおちていく性質のものであった。連合赤軍の人々は山岳ベースで言うなれば消費社会という歴史の変容と戦い、それを拒否し、破れていったのである」と総括しています。

もちろん、「共産主義化」における女性性そのものの否定が革命思想とは関係ない「女性への生理的な嫌悪」とみなすことは、まさに皮相な見方であり、「女性への生理的な嫌悪」こそが当時の革命思想を特徴づけるものであったことに注目すべきなのです。というのは、儒教的な封建思想自身、女性の生理を含めた女性性そのものを不浄なものとみなし、排他的に排除していたからです。従って、「女性への生理的嫌悪」は、当時の「共産主義化」の革命思想がまさに儒教的な封建思想に他ならなかったことを示すものに他なりません。それ故、問題は当然のことながら、当時の革命思想の根幹にこのような反動的な儒教的思想があったのかということであり、これこそ僕らが連赤総括の中で力を入れて研究してきたことに他なりません。この点で重要なことは、大塚氏がこの封建思想による「共産主義化」に対立したものとして「消費社会的感受性」をあげ、連赤が「消費社会化という歴史の変容と戦い、……敗れていった」と主張していることです。

　大塚氏のこの主張は、当時の問題を現象的に捉えたものにすぎないにせよ、連赤が当時の日本社会の歴史的変化に対応できなかった事実を指摘するものとして、重要です。つまり、「消費社会という歴史の変容」とは、六〇年代の資本主義経済の高成長によって生産手段ばかりでなく、生活（消費）手段の商品生産が大幅に発展し、商品経済が多様化、高級化したこと、そのため、それまで家庭内労働や農村共同体等の地域共同体内労働によって生産されていた生活物資までも商品として手に入れることができるようになったことということに他なりません。その結果、日本の封建的官僚的な諸制度や諸思想を支えていた家父長的な家族制度や地域共同体を解体し、衰退させる一方、他方では「核家族化」や「ニューファミリー化」といった用語に代表されるような生活様式の変化をひきおこし、自立した自由な個人の形成を促進しました。どんな組織にも従属しない自由な個人の形成、これこそ「新人類」といわれる諸個人の広範な形成に他なりませんが、このような日本社会の歴史的変化は、とりもなおさず市民社会化であり、これが「消費社会化」といわれるものに他なりません。まさにこのような歴史的変化を画す一時代に七〇年安保闘争があり、全共闘運動があり、連赤があったのです。

それ故、連赤の敗北を含めた七〇年闘争の敗北の歴史的社会的意味をはっきりさせることはそれほど困難なことではないのですが、問題は、このような歴史的変化に対して積極的に対応すべき日本の左翼がまったく対応できなかったどころか、逆に否定的な態度をとったということです。というのは、このような市民社会化を、当時の左翼は、当然の如く「ブルジョア化」と捉え、諸個人の自立した自由な個性をブルジョア的なものとみなしたからです。このことは、当時の左翼運動が党派中心の党派主義的なものであったことと密接に関係していますが、それまでの日本が、資本主義的工業を発展させていたとはいえ、重化学工業中心のもので、社会的には農山村中心の発展途上国であったこと、そのため人民の大半が生活のために活動の大半を労働に費やさなければならず、このことから、政治闘争を専門的に担う集団、すなわち党派が左翼運動の中心になり、人民はそれに協力するにとどまらざるをえなかったこと、こうしたことが党派中心の左翼運動を形成させることになっていたわけですが、このような形態の左翼運動にあっては、当時の人民の生活様式が質素で禁欲的な家父長的人間関係や共同体の集団的人間関係を反映し、こうした立場から資本主義を批判していく封建的社会主義を思想的支えとならざるをえませんでした。まさに、日本社会の歴史的制約が左翼運動の思想的根幹を封建思想においていくことになったというわけです。そのため、市民社会化に伴って必然的に市民的精神ともいうべき自立した自由な個性をもって日本社会の封建的官僚的な諸制度や諸思想と対立し、階級闘争に参加し、左翼運動に参加してくる人たちが大量に形成されたとき（六〇年安保闘争が社共による党派中心の運動だったのに対して、七〇年安保闘争は、党派に従属しない無党派の人たちが運動の中心だった）、それまでの左翼運動を支えていた党派中心の運動との間に大きな矛盾が生まれました。連赤はその矛盾にもろにさらされたのですが、連赤問題の核心の一つは、「共産主義化」によって個々人の自立した自由な個性を徹底的に解体し、組織に全面的に従属した党派人間を育成せんとして、当時の革命思想の根幹が反動的な封建思想以外のなにものでもなかったことをもっとも明瞭な形で明らかにしたことです。「かわいい女」をめぐる問題は、おそらくその核心的なものといっても過言ではないと思います。

　商品経済の発達が不十分で家内労働が重要な役割をはたしていた間は、女性たちは、家内労働に縛りつけられ、社会への進出に重い制約が課されていました。これが家父長的人間関係を支える経済的基礎となっていたわけで、こうした中では、大半の女性たちは、多かれ少なかれよりよい条件の家内労働を確保するために、男性たちが担っている思想的政治的活動には関心をもたず、より高い社会的経済的地位につけそうな男性に好意をもたれようとすることにならぎるをえませんでした。それがいわゆる「かわいい女」でした。そして「かわいい女」になることを拒否し、社会に進出せんとする女性は、男性化することによってしか思想的政治的活動を担うことはできませんでした。もちろん、左翼運動の中においても、こうした事情に変わりはありませんでした。ところが、商品経済の発展によって家内労働の必要を低下させたことは、女性を家内労働から解放し、女性の社会への大幅な進出を可能にしました。このため、女性たちは、もはや男性に従属する「かわいい女」でいる必要がなくなり、女性としての自覚と要求をもって社会に進出し、思想的政治的活動を担おうとするようになりました。そうした転機に七〇年安保闘争があったのであり、そうした新しい女性たちが先駆的にこの闘いに参加していきました。彼女たちは、もはや男性たちの活動に奉仕するだけの存在になることにも、また男性化することによって男性たちと対等にやっていくことにも甘んじなくなり、そのため、彼女たちと党派の家父長的体質との間に大きな軋轢が生まれました。こうして、当時の左翼運動の中で女性問題が重大な意味をもってくることになったわけで、連赤問題はそのもっとも鋭い現れだったのです。

　ところで、商品経済の発展による市民社会化は、封建的官僚的な諸制度や諸思想の経済的基盤を大きく解体し、衰退させたとはいえ、それらを一掃したわけではありません。それらは厳然として存在し、市民社会の確立に対して大きな圧力となり、新しい女性たちの前に大きく立ちはだかっています。そこで、彼女たちは、それまで男性への従属を強いるものとしてあった自分たちへの「かわいい」という表現を、逆に自分たちを支配している封建的な家父長的権威主義に投げ返すことによって、自分たちへの圧力をはねのけようとしました　というのは、この「かわいい」という表現の投げ返しは、男性たちがまとっている家父長的権威主義の衣をはぎとって滑稽極まりない「裸の王様」にしてしまう役割をはたすからです。こうした点で、大塚氏が指摘しているように、金子みちよさんが森恒夫さんに対して、「かわいい目をしている」といったことは大きな意味をもっていたわけで、それは新党結成のために森さんの威圧的で暴力的な権威主義を戯画化させずにはおかなかったが故に、森さんは激怒することになったのだと思います。ではまた。

（一九九四年一一月二三日）

ミンクの色もいろいろあります

またまた死刑執行のニュース。まったく歯ぎしりさせられる思いですが、東拘で処刑されたのが安島幸雄氏であっただけに、やりきれません。一一月二七日の新聞に死刑制度に対する総理府の世論調査の結果が出ていたので、「こりゃ近いうちに死刑執行があるな！」と思っていましたから、死刑執行のニュースに驚くことはありませんでした。しかし、村山政権のもとでのことだけに、このことの方が情けない思いにさせられます。社会党の変節のダメ押しのような死刑執行ですが、このような死刑制度容認を多数とする世論調査の結果の発表を背景にして行われる死刑執行は、それが死刑制度の存続のためのものであることをますます如実に示しています。それだけ、死刑執行推進者たちも死刑執行に対して自信をもてなくなっているのでしょうが、このような死刑執行の圧力をはねのけていくような死刑廃止運動の強化を望まずにはいられません。また、死刑囚たちも、死刑執行の重圧に負けないよう頑張ってほしいものです。

工場内の様子は相変わらずの毎日ですが、一一月二八日からストーブが入り、工場内にいる限りは寒さを感じることはありません。しかし、仕事の方は、仕立てから仕上げまでの全工程を僕が一人で行うことになっていささか大変な思いをしています。なにしろ、この全工程を一通り教わったとはいっても、形ばかりのことで、満足に覚えていないのですから、ひどいものです。教えてくれる人がおらず、全工程を教わった時に書いておいたメモを見ながら作業をしているのですから、先が思いやられます。とにかく、かつて五人でやっていたこのコート作りの仕事を、いろいろあって今は三人でやっているのですから、さびしい限りです。従って、近いうちに新人が補充されることになるわけですが、こっちが仕事を満足にこなしきれておらず、これでは新人が来ても教えようがありません。こっちが教えてほしい思いです（笑）。そんなわけで、当分、あれやこれやと手探りでやっていくしかありませんが、仕上げまでの全工程をやりとおすことができたらおなぐさみ、そのときにはみんなで万歳でもしようと思っています。

それにしても、ミンクの色にもいろいろあるものです。この間手がけてきたのは、ダーク（暗褐色）とデミバフ（茶色－薄茶色）、それにブルーアイリス（青灰色という感じ）です。あと黒がありますが、これは染めたもので天然のものではありません。前にはパステル（薄茶色）やサファイア（灰白色）をやっていましたが、僕がこの仕事をはじめてからはまだ来ていません。他にホワイトもありますが、これはまだ尻尾でしか見たことがありません。ですから、原皮が送られてきたときには、どんな色のミンクか送られてきたのか楽しみになります。今は、デミバフとブルーアイリスをやっています。もちろん、これらに使う裏地も、それらの色に合わせたものであり、ボタン、糸、レザーなども、全てそれらに合わせて用意しなくてはならないので、違った色のものが来たときには、いささか手間がかかります。というのは、襟飾りやポケット飾りなども全て手作りで作らなくてはならないからです。こういうことを考えると、このミンクのコートが四〇万円もするのもうなずけます。ただし、それを作る僕らの作業償与金が月に数千円なのですから、笑ってしまいます。

　ところで、この間送られてきた原皮からおもしろいことがわかりました。それは、原皮がどれもスウェーデンやフィンランドからの輸入品だということです。はじめは原皮につけられている奇妙な印から、日本のものではないことはわかったものの、一体どこの国のものかわからないでいました。ところが、先月送られてきた荷物の中に、ヘルシンキとかコペンハーゲンといったローマ字が記してあってはじめてわかったというわけです。日本でもミンクの養殖をやっているのですが、残念ながら、これまでのところそれにお目にかかっていません。もっとも、実際には扱っていながら気づかないでいただけかもしれません。

（一九九四年一一月六日）

刑務所の土・日は貴重な時間です

新しい仕事の試み

早いもので、アタフタしている間に一九九四年が終わり、一九九五年になってしまいましたが、新年いかがお過しですか。鳥取もすっかり雪景色に変わってしまったことでしょうが、こちらでも南アルプスをはじめ、まわりの山々に雪が降り、特に北岳や間ノ岳はまっ白になってしまいました。風の強い日などには雪煙があがっている様子も見える程です。白く雪化粧した間ノ岳は、山が大きいだけあって迫力があり、際立っています。

おかげで南アルプスを越えて吹いてくるからっ風の冷たさはなかなかのもので、特に朝方の冷えこみは厳しいです。先日は、房の窓についている金網についた水滴がすぐに凍ってしまいました。だから、朝の出役の際には、みんなガタガタ震えています。しかし、工場の中は例によってストーブをたいているので、かなり暖かく、大助かりです。おかげで今年の冬も、長袖のメリヤスやズボン下などを着用しなくても過ごせそうです。甲府の寒さはこれからが本番ですが、ただ日中は比較的暖かく、この一日の寒暖の大きさには驚かされます。一〇度ほどの違いがあるのですからね。去年は、この変化の大きさにいささかとまどってしまいましたが、今年は気持ちの準備も出来ているので、もう気にならなくなりました。

正月には、いつものごとく特別食が出ましたが、残念ながら特筆すべき程のものではなく、ただ量の多さに圧倒されたというところでしょうか。このため、食べきれずに残飯として捨ててしまった人がたくさんいたようで、僕も最後にはいささかもてあまし気味でした。率直にいえば、「量よりも質のよいものを」というレーニンの言葉を進呈したいところであり、来年の正月はもっとましなものを考えてもらわねばと思っています。

鳥取といえば、昨年、ここで見たビデオ映画の「男はつらいよ」に鳥取が出て来ました。残念ながら見覚えのある風景は、鳥取砂丘など一部しかなく、若桜《わかさ》通りの様子がすっかり変わってしまっていたのにはいささかガッカリさせられました。まあ二〇年もたっているのですから、仕方がないといえばそれまでですが、やたらと「近代化」してしまうのはほめられたものではありません。外見だけの「近代化」は、軽薄化でしかなくこれはとりもなおさず、現在の日本の姿そのものです。夏祭りの花笠音頭が登場していましたが、若桜通りを踊りの行列が歩いたりするのは、昔からあったのでしょうか。僕には見覚えのないことで、いささか首をかしげてしまいました。
僕の記憶している祭りの風景とずいぶん違っていました。

さて前便でも書いていた難題の仕事の方ですが、なんとかかんとかミンクのコートを自力で仕上げることが出来るようになりました。まったくヤレヤレという思いです。ただし、昨年の一二月に仕上げたコートは二着。この一月には、一応三着から四着を目標にしていますが、一二月に新しく入ってきた仲間に仕事を教えたりするなど、何かと雑用もあって、なかなか思うようにゆきません。はっきりといえば、新人に仕事を教えるどころではないのですが、そうもいってはおれず、おかけで忙しい毎日を過ごしています。

　コートの出来具合については、きちんと評価できる人がいないため、なんともいえませんが、僕自身の気持ちとしていえば、やはり仕事の工程をこなすことに精一杯で、大いに不満足というところでしょうか。もちろん、まずコートを仕上げることが出来るかどうかが基準となっていたことを考えれば、その点では、この基準は何とかクリアしましたが、個々に見ていった場合、いろいろと気になるところや不満なところがあり、とても満足出来ません。もっとも、こうしたことは、一〇着、二〇着と作っていく中でクリアしていくべきもので、早急に何とかなるというものではありませんから、あせらずに基準をより高いものへと上げていこうと思っています。

　とにかく、仕立てから仕上げの工程は、どれもこれもやっかいなものばかりで、息を抜けるようなところはありません。しかも皮と布を縫わなくてはならないので、なかなか針が通ってくれず、手縫いの工程は、ひときわやっかいです。これらからすると、普通のコートの方がはるかに楽なように思えます。一番きついのは、皮四枚を手縫いで縫うところでしょうか。もちろん、やっつけ仕事でやろうと思えば出来るでしょうが、それでは「懲役」の名を辱めることにしかなりません。やはり仕事は仕事として、しっかりとしたものを作っておきたいと思っています。

それに、僕がこの方面で腕をあげれば、今作っているハーフコートとは別にロングコートなどにも挑戦することができるわけで、そういう新しい試みをいつかやってみようと仕事仲間と話したりしています。というのは、送られてくるミンクの原皮を全て使いきってしまうことはなく、かならず少し余裕があるので、そうして残ったものをためておけば、新しい試みが出来るだけの原皮を用意することができるからです。事実、これまでそうして残った原皮を使ってストールなどを作ったりしてきています。

この新しい試みは、ともすれば単調になりがちな「懲役」の仕事に対して張り合いをもたせることが出来るようになるわけで、このようにして皆の気持ちを仕事や生活にひきつけておくことも大切なことです。それなりの目標や目的があれば、「懲役」としての生活にも楽しさが出てくるということです。「懲役」の仲間の多くに欠けているものは、まさにこの点であり、ひたすら耐えることしか出来ないような生活では、かならずどこかで無理が生じるばかりか、せっかくの刑務所の中での貴重な時間を無駄に、かつ無意味に過ごしてしまうことになります。もちろん、刑務所側が目標や目的をもてるような状況を準備しているかといえば、とてもそうはいえないわけですが、しかし、刑務所側が準備してくれようがくれまいがそれは従属的なことでしかありません。大切なことは、「官」に依存しない自立した精神を身につけることであり、これを身につけることが出来れば、刑務所生活をも自分の人生の中に有効に活用していくことが出来るようになるだろうと思っています。このことは、なにも刑務所内でのことに限らず、あらゆる面においていえることではないかと思います。

少々話がそれましたが、もちろん、新しい試みといっても全く何の資料もなしに考えているわけではありません。というのは、仕事場の古い資料が入っている箱の中には、ロングコートなどのための型紙があり、しかも、参考になるデザインのための写真集もあるからです。皮製品のためのデザイン・ブックまであるのです。こういうものを使わずに眠らせておくのは、まったくもったいない話です。北欧産のミンクといえば、高級品の代名詞のようなものですが、その高級品の名に恥ないだけのコートを作ることが出来るようになれば、この甲府刑務所での生活もそれなりに意義のあるものにすることが出来るのではないかと思っています。

こちらは、一月の中旬あたりから本格的な冬に突入した感じで、朝方の冷え込みも、氷点下六度以下になるという厳しさです。ここまで冷え込むとあきれてしまいますが、東拘にいたときは、氷点下になることなど滅多になかっただけに、東京と甲府の違いにいささか驚きます。僕も、ズボン下をはこうかなという思いにさせられた日もありましたが、そう思ったのは二〜三日で、それを過ぎたら、この寒さにも慣れてきました。昨日は雪が降りましたが、しばらくして雨に変わりました。しかし、山の方は、きっとたくさん雪が積もったことだと思います。二月になれば、雪が積もるようになることでしょうが、やはり、ここ甲府の冬の特徴は、朝方の冷え込みと南アルプスを越えてくるからっ風です。

話は変わりますが相対論を通して宇宙論を学習していますが、そうすればするほど現在直面している様々な問題（特にダークマター）とも重なって、逆にわけがわからなくなってくる思いです。ビッグバン――膨脹宇宙の標準理論も、なにやら怪しげな感じがしてきて、すっかりあやふやになってしまいました。やはり、宇宙論は、理論追求の時代というよりも、観測資料蓄積の時代といった方がいいようです。様々な理論構築の試みは、砂の家作りに似ていて、作っては崩れ作っては崩れの繰り返しであり、改めて宇宙の広大さ、不思議さを感じています。いずれにしても、人類の物理的認識は、将来、再び大きな変革を迫られる大革命の時代に突入していくことだろうという思いをますます強くさせられます。そういう意味で、人類の物理的認識の発展過程を振り返っておくことも、必要な仕事となっているように思います。

冬の寒さはこれからです。鳥取は雪が多くなるかもしれませんが、どうかくれぐれもお体を大切にして下さい。ではまた。

（一九九五年一月一九日）

身柄引受人が認められました

大変御無沙汰しておりましたが、みな様お元気ですか。お変わりありませんか。一昨年の六月末に面会でお会いして以来、一年半ぶりですが、一月二七日に、やっと佐野顕光さん（刑が確定してからの私の身柄引受人として申請した桐生市の東澤寺の住職）を身柄引受人として認めるという回答があり、ヤレヤレという思いでこの手紙を書いています。これで、これまで母しか認められていなかった面会と発信が顕光さんにも認められることになりました。

　現在の僕の処遇は三級ですので、僕の方からの発信と面会は月二回まで可能です。といっても、桐生から甲府までは相当離れており、面会の方についてはどうか気にしないで下さい。そのかわり、顕光さんの方からの手紙の受け取りについては制限はありません。今後、このままの調子でいきますと、今年の五月に二年無事故ということで、面会の際の看守の立会がなくなります（正確には二級で二年間無事故で面会の相手が親族の場合に限られる）。そして、六月には一級に進級し、面会、発信は週一回、月四回可能になります。そんなわけで、あと半年程もすれば、僕の処遇も少しはましなものになります。もっとも、面会や発信について、いろんな制限があること自体不当なものですが、ともあれ刑務所内のことについては、何事につけ気長にやっていく他なく、その点一〇年、二〇年の単位で獄中生活を送ってきた僕にとっては、ここの生活は実に気楽なもので、余裕をもって毎日を過ごしていられます。

　ところで、この間に届いていたお手紙と年賀状、受け取りました。どうもありがとうございます。年賀状の版画はますますお坊さん臭いものになっていますが、今年のものは、その世界にしっかりと腰をすえておられるような印象を受けました。絵の方も、相変わらず続けておられるようで、きっといろいろと注文を受けておられることと思います。僕の方は、水墨画を始めてちょうど一年になりました。まだまだ絵といえるような水準になく、形をなぞっているといった方がましですが、一年前のものから見れば、少しは上達しているのではないかと思います。この調子でここにいる間続けていけば、外に出る頃には何とか水墨画といえるようなものを描けるようになるのではないかと思っています。ボールペン画の方はぼちぼち再開していますが、用紙がなくノートに描くしかないうえ、ボールペン画にまで手を広げる時間的余裕がないのが現状です。

物理と数学の学習の方は、出来るだけ時間を作って頑張ってはいるものの、とても予定通りにはいかず、いささか先が思いやられます。とはいえ、基礎理論の学習は、いろんな意味で勉強になっており、あせらずしっかりとやっておこうと思っています。

ともあれ、僕の方は快調にやっていますから、安心して下さい。もちろん、体調の方も万全です。昨年の夏の暑さにはいささかまいりましたが、冬になってからは好調で、この冬もズボン下などははかずに過ごしています。

冬の寒さはこれからが本番、風などにはくれぐれも気をつけて下さい。ではまた。

（一九九五年二月二日）

ワーグナーの音楽とナチス

二月も終わろうとしています。一月下旬から二月上旬にかけてかなり冷え込みましたが、中旬以降は寒さもゆるみ、どうやらこの冬の越冬も終わりに近づいたようです。三月に入れば急速に春めいてくることでしょうが、この冬は雪や雨が少なく、カラカラ天気が続いたのが特徴でした。そのせいもあってか、風邪をひいて入病する人が沢山いました。幸い、僕の方は、昨年ちょっと風邪をひいた程度ですみました。ただ仕事仲間の一人が風邪で二週間も入病したりしたこともあって、仕事の方ではこの二月はてんてこ舞でした。

それにしても早いもので、九三年二月一九日に最高裁の判決があってからもう二年もたってしまいました。信じられないような思いですが、仕事に追われる日が多かっただけに、よけいに月日のたつのが早かったように思います。ただ、僕にとっては、この刑務所生活も貴重な時間であるだけに、このように月日がたってしまうと困ってしまうわけで、いささか焦りにも似た気持ちにさせられます。

ところで、お手紙受け取りました。どうもありがとうございます。それにしても地震（阪神大震災）の被害の大きさに改めて驚かされます。自然の力をみくびってきた現代人に対して、改めて自然の力の大きさを見せつけたのではないかと言いたくなるような被害のひどさですが、ただ全てを自然の脅威でもってかたづけてしまおうとする傾向が目につくのが残念です。しかも、被災者に対する救援にしても到底順調にいっているとはいいがたいわけで、まず被災者の救援に全ての力を集中することが出来ないでいる日本の政治状祝の欠点がもろにさらけ出されています。こういう時ほど、政府・行政機構に依存しない住民の自主的な自治組織の存在が必要なことを教えてくれるものはありませんが、マスコミの報道からは、こういうものの動きがほとんど伝わってこないので、いささか残念でなりません。今度の震災の問題は、それだけで日本のおかれている状況をあますところなく解明していくことが出来るほど、多くのことを明らかにしてくれておりますが、それらについてもいつか書くことがあると思います。今度の震災からどれだけ多くのことを学びとり、これからのことに生かしていくか、それこそ犠牲者に対する最大の供養ではないかと思っています。

この間の地震の多さは、地震の活動期に入ったことを思わせますが、だいたい日本列島は地震帯の上にあり、従って、有感から無感を含めて常時地震が発生しています。だから、日本列島のあらゆる所が地震に見舞われる危険性があり、そのことを前提にして生活していかなくてはならないと思います。そうすれば、大地震が多いからといって別に焦る必要もなく、大地震にいつ襲われてもあわてることはないと思います。「絶対安全」というお役所の無責任なその場しのぎのごまかしを絶対に信用してはならないということです。

お手紙によると、鳥取市の「しゃんしゃん傘踊り」が始まったのは一〇年程前とのこと、僕が知らないのも当然ですね。僕が記憶しているのは、「因幡の傘踊り」であり、土塀のような所で、白鉢巻、白だすきで花傘をもって踊っていた姿を今でも思い出します。

仕事の方は、何とか調子ものってきたところで、コートの方も今では大体五日で一着仕上げられるようになりました。

ただ、このようにやっと調子が出てきたところでコートのモデルが変わり、これまでのハーフ・

コートに加えて、ロング・コートも作ることになったため、いささかとまどっています。このロング・コートは、見本をみると、一着五八万円もする代物で、値段票を見ただけでオタオタさせられてしまいました。こういうものを僕らにまかせるということは、それだけ僕らの腕が評価されたということでもあるのでしょうが、何やらこちらの能力を試されているような感じもし、負けられない気分にさせられます。もっとも、このミンクのコート作り自体僕にとっては一つの闘いであるわけで、出来なかったりすればそれだけの人間かとみなされてしまうことにもなるのですから、敗退できません。刑務所での闘いは、こういう面でも必要なのだということではないかと思います。しかし、このコート作りを一つの美術品作りとしていくことが出来るならば、そして最良の品質のコートを作ることが出来るならば、それは単に僕らの能力を磨くことになるだけでなく、懲役囚に対しての外部の評価を大いに変えていくことになり、それがひいては懲役囚の立場を強化し、発言力を強めていくことにもなるわけで、そういう点を他の仕事仲間にも理解してもらい、自覚をもってよりよい仕事をしていくようにしてもらっています。というのは、どうしてもどうせ懲役の仕事だということで、適当なところでごまかしてしまう傾向に流れてしまいがちになるからです。懲役の心意気を忘れるな！　というわけですが、こうでもしないと、雀の涙ほどの作業賞与金しかない中で、皆にやる気を起こさせることが出来ないのが実際のところです。

　ロング・コートの製作は、いろいろと準備もあり、三月からとりかかることになるでしょうが、一着目がうまくいけばしめたものです。何とか見本よりはいいものが出来るよう、ていねいに作っていくようにしたいと思っています。というのは、見本は、僕らの水準からみるかぎり、いろいろと欠点が目につき、とても上等のものとはいえないからです。従って、このロング・コートを上質な水準で作っていくことが出来るようになれば、さらに高級品のものを作ることになるかもしれません。そんなわけで、僕の実力がどこまで通用するか力を入れて頑張ってみようと考えています。

大塚さんが、『伊呂波通信』（一五）にワーグナーのことについていろいろい書いておられますが、ワーグナーの曲についての評価は確かにむつかしいものです。しかし、ワーグナーの音楽も、やはり当時の歴史的な状況の産物以外のなにものでもないわけで、その点からの評価をしなくてはならないと思います。当時のドイツは、江戸時代の日本と同様、プロイセンをはじめとする多くの封建王国に分割され、ドイツとしての統一的国家を形成するに至っていませんでした。そのためフランス市民革命の影響、その後のナポレオンによるドイツ制圧などの激動の刺激を受けて、ドイツでは、市民的意識がドイツ統一を望む民族的意識を伴って成長し、市民勢力の主導によるドイツ統一の闘いが発展しました。しかし、一八四八～四九年の革命が敗退してからは、ドイツ統一の民族的闘争の主導権は、市民の手からブルジョアジーに支援された封建勢力の手に移りました。これが、一八五〇年代から六〇年代にかけてのプロイセン主導によるドイツ統一に他なりません。従って、このドイツ統一を求める民族意識は市民意識を欠いた、従って排外的傾向を内包した民族意識とならざるをえませんでしたが、たとえそうであっても、この時代のドイツ統一を求める民族意識には、ドイツ民族を統合する民族精神が貫かれていました。まさに、このような民族精神を強烈に反映したものが、ワーグナーの音楽に他ならなかったのです。だからこそ、ワーグナーの音楽には、当時のドイツ民族の民族的意識を鼓舞せずにいられないすぐれた要素があり、それがワーグナーの音楽の積極的な側面として現代人の気持ちをひきつけるものを持っていると思います。

　しかし、その民族精神には市民意識を欠いた排外的民族主義も反映せずにはいられなかったわけで、それこそがワーグナーの音楽の時代性に他なりません。だからこそ、ワーグナの音楽はナチスによって大々的に利用されてしまうことにもなったのでしょう。ナチスの台頭が、第一次世界大戦後のワイマール体制からの脱却を望む当時のドイツの民族意識を反映していたことを考えれば、ワーグナーの音楽が当時のドイツにおいて歓迎されることになった政治的根拠もよくわかるのではないかと思います。

　ともあれ、以上の点をふまえてワーグナーの音楽に接すれば、そのよさがより一層わかりやすく受け入れられるのではないかと思います。そして、それと同時に、市民精神をより強く反映し、それ故に革命への希望を表明し、現代音楽に至るその後の音楽への革命的役割を果たしたベートーヴェンの音楽との違いもわかるのではないかと思います。ショスタコーヴィッチは、「イデオロギーのない音楽はあり得ない。昔の作曲家たちは、意識的に、また無意識的に政治的理念を表現した。もちろん、彼らの大部分は社会の上層部、支配階級の権力を支持した。ベートーヴェンだけが革命運動の予言者だった」と述べていますが、ワーグナーの音楽もまた結局、当時の支配階級を支持するものになってしまったというわけです。というよりも、市民勢力主導の民族運動が敗退して以降、封建勢力主導の民族運動に結びつくことによって活路を求めたといった方が正確かもしれません。

なお、ワーグナーの『マイスタージンガー前奏曲』とシューベルトの交響曲助『ザ・グレーイト』との関連について述べていましたが、ハ長調の曲としては　ベートーヴェンの交響曲第五番第四楽章もあり、これがシューベルトに影響を与えているともいえるのではないかと思います。ところで、『ショスタコーヴィッチ大研究』は、『作曲家別名曲解説ライブラリー・ショスタコーヴィッチ』を手に入れ、これと合わせておもしろく読ませてもらっています。

春先の季節の変わり目は、体調を崩しやすいです。お体にはくれぐれも気をつけて下さい。

（一九九五年二月二八日）

ロングコートも手がけています

三月もいつの間にか終わろうといていますが、お元気ですか。四月にあと少し、桜の蕾も大きくふくらんですぐにも開きそうなのに、ここ数日、寒い雨の日が続き、山の方は一段と白さを増して冬に逆戻りのような様相を呈しています。きのうは、久しぶりによい天気になったのに、冷たい北風が吹き、南アルプスの山々は雪雲におおわれて、雪が降っていました。今日はまた曇り。夕方には雨が降ってきましたが、この寒さからすると、まわりの山々では雪が降っていることでしょう。とはいえ、春はもうすぐそこに来ており、あと一息です。

いささか風邪に苦しめられた三月でしたが、それにもかかわらず、新しいモデルのロングコートの方は、確実に完成させることが出来ました。風邪でフラフラしている中での手間のかかるやっかいな作業だったため、まったく大変でしたが、風部をひいたからといって手を抜いたりすることもなく、第一作目としてはかなり上等のものに仕上げることが出来、これまでのコート作りよりさらに高い水準のものを作ることが可能なことを立証した形となりました。これで、僕としても、これからのコート作りに自信をもって取り組めるというわけです。

これからはハーフコートとロングコートを並行して作っていくことになりましたが、どちらを作るかは、僕らの裁量で決めてもよいことになっており、このへんは、僕らの自由がかなりききます。とにかく製作工程にしても、かなりの部分は僕ら自身で検討して決めているわけで、これほど僕らの由由がきく仕事場も珍しいのではないかと思います。もっとも、そのかわり、僕らの責任もその分だけ大きいものになり、より高度の水準の製品を作っていくための努力が問われます。今のところ、僕自身がまだまだ腕を磨かなくてはならない段階であるために、一作ごとによりよいものとなっていますが、いずれは、何らかの形で限界に直面することになるだろうと思います。そのとき、その限界をどう突破してさらに高度な水準をどのように実現していくか、きびしく問われることになるだろうと思います。明日からは、ロングコートの二作目の仕立ての仕事に入りますが、このロングコートの製作工程もいずれきちんと記録しておかねば、と思っています。

物理の学習の方は、扱っている本がかなり高度のものであるため、思ったように進んでおらず、いささか焦ってしまいますが、しかし、これだけ基礎からしっかりとやっているおかげで、これまでとは違った意味で、物理というものに対しての理解を深めていくことが出来るようになっています。従って、物理の思想的側面についても、より具体的な形で突っ込んでいくことが出来そうです。今は、一般相対論の重力方程式について学習中ですが、大切なことは、この重力方程式、あるいは宇宙方程式を導いていくにあたっての考え方であり、時空を宇宙という物質の属性とみなすことによって、つまりそれ自体として絶対的に存在するかのようにみなすことを否定することによって、時空の構造を数理的に解析することを可能にしたところに、物理学における弁証法的唯物論の拡張を見い出すことができます。これは、より一般的には場の概念の確立に他なりませんが、一般相対論のこのような思想的側面を取り上げることこそ、僕の研究テーマでもあるわけで、そのためにも一般相対論の学習をきちんとやっておこうというわけです。

季節の変わり目、お体にはくれぐれも気をつけて下さい。ではまた。（一九九五年三月三〇日）

オウム真理教と既成政治

早いもので、アタフタしている間にもう六月も下旬。相変わらず仕事に追われる毎日です。絵葉書、受けとりました。先月、二年ぶりの面会に来て頂き、そのお礼の手紙も書かないうちに、もう次の面会日の予告となり、いささかあわててこれを書いています。

勿論、七月五日（水）の面会、全然不都合はありません。ちょうど月初めで、仕事にも余裕がある頃なので、気楽に面会が出来そうです。なにしろ、先月は二年ぶりの面会ということもありましたが、仕事に追われているときでもあったため、何となく落ち着かない気分のままの面会になってしまいましたからね。

もっとも、二年ぶりの面会といっても、こちらはいわば時間の止まった世界にいるわけで、そのため、この二年という期間の長さが少しも意識されておらず、まるで数日前に面会があったという感じしかしませんでした。それでも、面会というのは、いろいろな意味で新鮮な刺激を与えてくれます。ですから、来月五日の面会は、心待ちにしています。

僕の方は、これといって変わったことはありませんが、予定通り、この六月から二級処遇になりました。もっとも二級になったといっても、面会と発信が月四回可能になったということ以外では、それまでの三級と大差ありません。ですから、二級の有難味なんて、率直に言って全然ありません。何やらそれらしい目立った変化があってもいいようにおもうのですが、こういうことも、やはり何らかの形で要求していかねば変わらないのではないかと思います。

それにしても、外の状況は、相変わらず気分的にもやりきれない思いにさせられることばかり続いていますが、その反面、権力側や保守勢力の主張にさっぱり元気がなく、やることなすこと全てにおいて、彼らの展望のなさ、自信のなさをさらけ出しています。保守派の旗手の読売新聞は、そうした現状に嘆く社説ばかり書いていますが、その読売新聞にしても、これといった注目すべき主張をしているわけではなく、その場しのぎのおためごかしでお茶をにごしています。だからこそ、「オウム真理教」問題をセンセーショナルに扱い追及することに熱中し、それによって自分たちの存在と力を誇示することに終始しているわけで、先日の死刑執行もそうした流れの中の一つでしょう。サリン事件と「オウム真理教」問題は、彼らにとっては一種のカンフル剤になっているようですが、しかし、それも所詮当面の諸問題から目をそらす一時的なショーにすぎず、結局は、より大きな困難となって彼らにのしかかっていくことでしょう。何故なら、それらの問題の発生自体が、現体制のゆきづまりの反映に他ならないからです。むしろ、大切なことは、ますます現体制のより大きな根本的変革の必要を突きつけられていること、そしてそのことに、日本の大衆も自覚しはじめ、既成政治からの離脱が急速に進行していることに注目していくことでしょう。だからこそ、読売新聞は、何とかしなくてはと躍起になって主張しているのでしょう。

ともあれ、今の日本が、そして世界がどんな方向に向かっていくか、ここ数年の間によりはっきりとしてくることでしょうね。僕としては、この刑務所の中から見物しているしかありませんが、今の僕にはこれも課せられている仕事の一つでしょう。そう思うことで、やりきれない思いをなだめているところです。

このところ、甲府も不安定な天気が続いています。今日も日中は晴れて暑い日になりましたが、夜になってから雷雨となり、明日は晴れるのか雨が降るのか見当もつきません。しかし、雨の多い梅雨には何となくホッとした思いにさせられます。やはり、水が豊富なのは有り難いことです。多分、今年の夏は、去年のような猛烈な暑さになることはないのではないかと思います。といっても、この甲府の日中の暑さは大変なものであり、そのへんのところは今から覚悟しています。

（一九九五年六月二〇日）

簿記会計もやっています

今年の梅雨は、昨年の空梅雨、猛暑の反動のようによく降ります。雨の日ばかりなので、運動の時、外に出ることが出来ないうえ、水張りしたミンクの皮がなかなか乾かず、困ってしまいます。みんなは、涼しい日が続くので助かるなんて言っていますが、去年の猛暑を乗りきった僕にとっては、少々の暑さはどうってことないので、早く梅雨が明けてくれた方が助かります。

『ブントの連赤問題総括』（荒岱介編著）、読ませて頂きました。これまで発表された論争文を一冊にまとめたものですが、こうしてまとまった形にして読むと、論争の推移がよくわかり、参考になります。僕の塩見さんに対する回答はすでに公表してあり、この中で、僕の連赤総括はほぼ全てまとめてありますから、この『ブントの連赤問題総括』における論争の展開との違いがよくわかります。それは、論争が実践的な諸問題をめぐってのものより、マルクスの理論や思想への理解の仕方をめぐってのものになってしまっているということです。勿論、こうなってしまったのも、塩見さんの論争姿勢に問題がありますが、マルクスの理解の仕方をめぐって論争というのは、大切なことであるにせよ、それに嵌り込んでしまってはなかなか抜け出せなくなり、従って論争としても、それこそ不毛なものになってしまいます。やはり、現実の実践的な問題をめぐる論争としなくては、次の闘いの方向も見えてこないわけで、そうしなければ、何が正しいのかを明確にしていくこともできません。何故なら、正しいか正しくないかを決定するものは、実践に他ならないからです。しかも、こういう形の論争になってしまっては、お互いに相手との違いを強調しあうことに終始し、相互の協力関係を築いていくことも出来ません。これこそ、この種の論争の不毛さの最大の原因に他なりません。当時の闘いが、結局、分裂、闘争を繰り返すだけで、協力関係を築いていくことが出来なかったこと、連赤の敗北（新党の失敗）もその延長にあったことを、痛苦の思いで捉え返す必要があることを強調しておきたいと思います。

　学習の方は、この間、数学に力を入れています。今年の初めは、トポロジーの初歩的なことをやり、ついでにリーマンのゼータ関数に関するものをちょっとかじり、そのあとはまた物理数学にもどって、フーリエ変換、ラプラス変換をやり、今は積分方程式をやっています。今やっている本は、ジョージ・アルフケンの『基礎物理学・3特殊関数と積分方程式』（講談社）という分厚いものですが、やっと終わりに近づき、やれやれという思いです。というのは、この本の中のベッセル関数やルジャンドル関数の章にものすごくてこずったからです。演習問題にむつかしいものが多く、それだけ勉強になりましたが、ジョージ・アルフケンが学部専門と大学院の学生を相手に行った講義録をまとめたものというこの『基礎物理数学』（1、2、3）は、素晴らしく、いろいろな意味で役に立ちます。僕のような数学的厳密性が苦手な者――だからこそ数学ではなくて物理の方が好みに合っていたのですが――にはこういう専門書は、ありがたいですね（笑）。

あと、アメリカ経済について少し勉強していますが、これらの学習とは別に、「簿記会計」の通信教育も受けています。何で今更「簿記会計」を？　と思われるかもしれませんが、理由は簡単、工場の仲間にムリヤリ勧められたからです。しかし、「簿記会計」もやってみるとなかなかおもしろいし、何より、企業の帳簿から経営実態を把握していくためのものとして、大いに役立ちそうであり、今では、かなり力を入れて学習しています。今は商業簿記ですが、このあと工業簿記や銀行簿記なども可能な限りやってみようと思っており、これによって企業経営の現実に精通することができるようになればしめたものです。今のところ快調にやっており、商業簿記は楽にクリアできそうです。

というわけで、ご家族の皆様にはよろしくお伝え下さい。それから、他のみんなにも。今月も

また仕事がつまってしまい、明日からまた忙しくなります。ではまた。（一九九五年七月二三日）

「柔能く剛を制す…」

暑い毎日が続きますが、お元気でしょうか。今年もまた大変な暑さとなりましたが、甲府でも、連続三五度以上の日が新記録になるなど、まさに酷暑の夏です。

僕の方は、相変わらずの調子でやっています。仕事の方も、まずまず順調ですが、ただこの八月になってから、ミンクのコート作りの仕事がつぶれるとかつぶれないとかいう話が出てきたりして、なにやら不安定な状況が続いています。長引く不況で毛皮製品の売れ行きが大きく落ち込んでいるせいなのでしょうが、今にも仕事を打ち切ってしまうような話が出てきたときには、いささか腹立たしい思いにもさせられたりしています。いろいろと問題があるようですが、仕事の状況も見ずに、刑務所側の都合でものごとを処理されては、たまったものではありません。

今のところ、何とか仕事は続いていますが、そういえば、一昨年の二月から三月にかけて、原皮が全然入ってこず、仕事がなくて困ってしまったこともあり、そのことからすれば、これと同じような状況になることも考えられます。もちろん、そうなればそうなったで、何とか仕事を作ってしのいでいけますが、このミンクのコート作りの仕事を簡単につぶしてしまうことがないようにしてほしいものだと思います。むしろ、このコート作りの技術を生かし、ミンクのコートだけでなく、普通のコート作りなども手がけるようにした方がいいのではないかと思われます。

結局、問題は、刑務所内の仕事をどう位置付けていくのか、ということになるのではないかと思います。つまり、単なる懲役のための刑務作業としての位置におさえこむのか、それとも、労働教育刑として、労働技術の習得、しかも、外の仕事にひけをとらない生産技術の習得へと引き上げていくのか、ということです。現在のところ、どちらともいえないような状況がありますが、やはり主要な傾向は前者にあり、そのため何かあると、前者の傾向が前面に出てきて、仕事の都合や将来性は、一切無視されることになっています。従って、もっときちんと計画を立ててやればより良い製品を生産し、販売量を増やすことができるにもかかわらず、その場しのぎの御座なりな形にとどめられている部門が、あちこちに見うけられます。それ以上に、技能の習得としての性格をもつような仕事が全体的に少ないというのが現実です。

刑務所の問題は、もちろん、細部にわたる規律の強制、軍隊式行進や裸体検身、外部との交通の大きな制限、等々の処遇上の問題がありますが、むしろ重要なのは、労働教育刑としての機能のない「刑務作業」、異常に低い「作業賞与金」と称する賃金、貧弱な教育設備などであり、まさにこれらの問題があるからこそ、単純な刑務作業や不自由な生活に懲役囚を縛りつけておくために、細部にわたる親律の強制やら行動の制限が、「秩序の維持」ために必要になってくるのです。

もっとも、法務省側も、内外からの批判によって、このへんのところはある程度承知してはいるのでしょう。技能習得のための募集をかなりひんぱんに行うようになっているのが、そのよい例です。しかし、これはきわめて部分的なことであり、様々な制限によって多くの懲役囚は排除されてしまっています。

この間、読んだ本でおもしろかったものや参考になったものは、大公望の兵法書といわれている『六韜・三略の兵法』（プレジデント社）、工藤晃著の『資本主義はどう変わるか』（新日本出版）、『東欧再生への模索』（岩波新書）です。

『六韜・三略』は、孫子の兵法と比べると、やはり内容的にややおちますが、核心的な点では基本的に同じことを主張しており、大いに参考になりました。たとえば、

「天下は一人之天下に非ず、乃ち天下之天下也。天下之利を同じくする者は、則ち天下を得、天下之利を掠める者は、則ち天下を失う」

という文は、あたりまえのことを言っているにすぎませんが、このように規定されると、なるほどという思いにさせられます。また、

「善を見ながら怠り、時至りながら疑い、非を知りながら処す、この三者は道之止まる所也。柔にして静、恭にして敬、強にして弱、忍にして剛、この四者は道之起こる所也」

という文は、政治の指針となっているばかりでなく、人生の指針にもなっており、納得させられます。

この『六韜・三略』には、有名な「柔能く剛を制し、弱能く強を制す」という語句があります

が、この語句の後には、「柔設くる所有り、剛施す所有り、弱用いる所有り、強加うる所有り。此の四者を兼ね、而して其の宜しきを制す」と、柔、剛、弱、強の使いわけの必要を指摘し、続いて、

「能柔能剛、其国弥光、能弱能強、其国弥彰、純柔純弱、其国必削。純剛純強、其国必亡」

と、柔、剛、弱、強の関係を実にうまく表現しています。ここに述べられていることは、中国の外交の傾向を理解する上で大いに参考になるでしょうが、これもまた、政治の基本であると同時に、人生の基本にもなっており、劣悪な状況に置かれたときの身の処し方を教えてくれるものではないかと思います。僕自身の考えをここで言わせてもらえれば、剛であっても柔としてふるまい、強であっても弱として行動することが出来れば、本物だというところでしょうか。

その他、亡国の条件についてかなり具体的に述べていて、このへんは、レーニンが述べている革命的危機の条件と見事に一致しています。こういうことが、すでに二千年以上も前から指摘されているのですから、思想的な面での人類の進歩なんて、たかがしれています。その他、実に多くの含蓄ある語句があって、大いに楽しませてくれます。改めて、中国古典の学習の必要を理解させられます。

「利一害百、民去城郭、利一害万、国乃思散。去一利百、人乃慕沢、去一利万、政乃不乱」

とあるのは、まさに政治の極意といえましょうか。用兵の極意についても、

「使智使勇、使貧使愚、智者楽立其功、勇者好行其志、貧者邀趨其利、愚者不顧其死。因其

至情而用之。此軍之微権也」

とあって、その見事さになにやら苦笑させられるような思いになります。というのは、これほどまでに端的に人間の特徴を指摘し、それによって人の用い方を具体的に表現しているものはないのではないかと思われるからです。孫子の兵法には、このように具体的に人の扱い方を記したものはなかったように思います。事が軍事であるだけに、それだけ具体的で明確でなければならない、ということでしょうか。もっとも、それだけに、人の特徴を見抜くだけの眼力を備えることが要求されることになるのでしょうがね。

工藤晃氏は、日共の国会議員であり、従って、『資本主義はどう変わるか』は、日共の立場から書かれたもので、いろいろと鼻につくところがありますが　そのへんのところをおさえて読めば、大いに参考になります。特に、多国籍企業についての規定がそれで、

「多国籍企業とは一体何か。国際独占体の高度な形態であり、世界の数多くの地点に生産拠点をもうけ、各地点で最適の生産物ないしは生産工程を選び、生産をすすめ、企業内の自由な流通をつくりだし、世界的規模で利潤を最大にすることをはかる独占的な巨大企業」

という表現は、かなり正確で基本的に同意できるのではないかと思います。この間の新秩序の構築とは、とりもなおさず、このような国際独占体である多国籍企業の行動原理にもとづいた世界市場の支配に他ならず、このためにこそグローバリズムと称する政治主張がさかんに強調され、それへの奉仕が国家政策の基本に据えられようとしているというわけです。従って、南北問題と

は、この国際独占体による世界市場の支配をめぐる対立に他ならず、従って、この対立を南北問題という形にしてしまうのではなく、国際独占体と世界人民との闘争という形に発展させていくことが要求されています。だからこそ、これまでの単純な資本主義批判や左翼主義ではやっていけなくなっているわけで、より広範な国際的戦線の創出のための努力がなによりも必要というわけです。つまり、グローバリズムへの対抗には、それこそ、一国的な民族主義だけでは不十分ということです。

もっといろいろ書きたかったのですが、紙数がつきましたのでまた改めて書きます。

八月もう終わり。今日も暑い一日でしたが、九月になれば、日中は暑くても夜は涼しくなるだろうと期待しています。今日は日中、間ノ岳などの山々がよく見えました。久しぶりのことでした。というわけで、皆様によろしく。ではまた。

（一九九五年八月二八日）

田宮高麿さんの死

早いもので、ドタバタしているうちに、今年もあと少しで終わろうとしていますが、お元気ですか。

島取は、今頃、かなり雪が降っていることと思いますが、今年の甲府は、一昨年や昨年よりずっと寒くなるのが早く、一一月下旬以降、毎朝氷点下二〜三度の日が続いていて、防火用水のあるプールには分厚い氷がしっかりとはっています。南アルプスの山々は、雪でまっ白になっており、雪はかなり手前の山にまで降ってきています。今日あたりは一日中、山の方は吹雪いていたようです。ただし、甲府盆地の方は、ずっと晴れていて雨がまったく降らず、水不足がいわれ出しています。まわりの山々には雪が降っていながら水不足というのも変な話ですが、雨でも雪でもいいからなんとか降ってほしいものです。

こういうわけで、工場の仲間たちは、厳しい寒さにふるえあがっていますが、僕の方は寒くなればなるほど快調というわけで、みんなには申し訳ないのですが、元気にやっています。この調子でいけば、この冬も楽に乗り越えられそうですが、油断をすると、温度差が大きいため風邪をひいてしまうので、油断をしないよう気持ちをひきしめています。それに今年も、親しい人の訃報やら死刑執行の報道やらで、気の重い暮れになっており、いろいろな意味で気合いを入れて頑張らねば、という思いにさせられています。

田宮高麿さんが一一月三〇日に死去したというニュースには驚きました。新聞には「過労による心臓麻痺とみられる」とありましたが、いずれにしても、元気でやっていると思っていたので、まったくの突然のことに信じられない思いでした。これから頑張ってもらわねばと思っていたので、まったく残念でなりません。こうなると、もっといろいろと話し合っておかなかったことが悔やまれます。もちろん、僕としては、田宮さんの朝鮮労働党、現在の朝鮮民主主義人民共和国の政治体制に対するほとんど全面的ともいえる賛美の立場や、日本の革命運動に対する旧来型の姿勢には同意できない面があり、それだけに、それらをめぐって、いずれ話し合える時が来るだろうという思いでいたので、無念の思いです。小西さんや赤木さん、それにあとに残された家族の方たちの気持ちを思うと、さぞかしつらいものがあることでしょうが、しっかりと乗りこえていってほしいと思います。また、そうすることによってしか、これからの厳しい時代に立ちむかっていくことはできないでしょう。

その厳しい時代ということでいえば、一二月二一日に、名古屋、東京、福岡の各拘置所で、三人の死刑執行があったというニュースほど、そのことを感じさせるものはありません。名古屋で執行されたのは木村修治さんとのことですが、頑張っていた木村さんの無念の思いが察せられます。東京、福岡で執行された人の名前は新聞にはのっていませんでしたが、あの人ではないかという予感がピンと来るだけに、重苦しい圧迫感がのしかかってきます。

もちろん、こんなことでへこたれているわけにはいきません。この間の死刑執行、特に村山政権下での八人の死刑執行という事実は、経済的崩壊、政治的閉塞、思想的文化的解体という状況の中にあっての権力（官僚）側の必死の攻勢ともいえるもので、それが、オウム問題での破防法の適用、日米安保体制の動揺に対する恫喝などと連動していることは誰の目にも明らかだと思います。それだけに、死刑問題に対しては、反安保闘争や憲法改悪反対闘争を始めとする大衆的政治闘争の中にしっかりと組み込んでいく取り組みが要求されていることを強調しないではいられません。

それにしても、今年一年のたつ早さには、改めて驚かされます。これも、多分に仕事に追われた日々が続いたからでしょう。今年は、昨年の末、突然のようにハーフコートの仕立てと仕上げの仕事を担当することになってから、いわばそれの自力での習得から始まり、なんとかやっとこなせるようになった三月、今度は新たにロングコートの製作の依頼がまいこみ、一ヶ月かかってやっと試作が成功してからも、四月、五月、六月と試行錯誤が続き、九月頃には全体的な製造工程が固まったものの、今までより良い製品を目指して試行錯誤が続いている状況です。実際、この一二月も、表の毛皮の部分の型紙や裏地の型紙の修正をしており、他の細かいところは手を加えることがしょっちゅうです。

おそらく、これで完全だといえるような工程はなく、より良い製品を目指して工夫と努力を続け、腕をみがいていくしかないのだと思いますが、こうなると、改めて外の専門の業者は一体どうやって作っているのだろうかと思ってしまいます。なにしろ、製品の見本をよこしただけで、あとはこっちの試作品を「見事です」といってひきとっていったっきりですからね。こちらの製品がどれほどの水準にあるのか、この不況の中ではたして売れているのか、気になることばかりですが、ただしいていえば、見本よりはこちらの製品の方が出来がよいという点が心強いというところでしょうか。

今年一年のことについては、まだ他にも、学習のことやらなにやらいろいろありますが、今日は、時間もないのでこんなところにしておきます。やはり、刑務所と拘置所との一番大きな違いは、自分のために使える時間がきわめて少ないということであり、従って、土、日の休日は、かんづめになるとはいえ、きわめて貴重な時間となっています。というわけで、このあとの年末年始の休庁中は、できるだけ有効に使わねばなりません。

冬の寒さはこれからが本番です。どうかくれぐれもお体を大切にして乗り切って下さい。では、よいお年をおむかえ下さい。みんなによろしく

（一九九五年一二月二六日）

連合赤軍・オウム・沖縄…

左翼の観念性を痛感しています

御無沙汰している間に冬も終わり、五月となってしまいましたが、いかがおすごしでしょうか。僕の方は相変わらずの毎日ですが、甲府刑務所での生活もいつの間にかもう三年がたってしまいました。もっとも、三年といっても全然実感はなく、せいぜい三ヶ月くらいの気分しかしていません。そんなわけで、四年目の甲府刑務所での生活を、これといった感慨もなく迎えています。

この冬の寒さは、甲府でもなかなかのものでした。朝の最低気温はほとんどいつも氷点下五度以下で、氷点下七度以下の日も何日かありました。おかげで工場の仲間たちは震えあがってしまい、かなり泣きがはいっていましたが、僕は、寒い方が体調に合っているのか、この冬も長袖のメリヤスやズボン下にやっかいになることはなく、快調に乗り切りました。みんなはあきれてしまい、「どうしてそんなに寒さに強いのか」と聞かれましたが、それには「東拘二〇年のキャリアの違い」と答えています。

冬はあまり雪が降らず、水不足さえいわれ出していましたが、三月以降は雨や雪の日が続き、この春の雪で南アルプスの間ノ岳は残雪がまだたっぷりと残っています。四月中旬にまわりの山々に雪が降ってすっかり雪景色になったときには驚いてしまいました。しかし、今はもう新緑がどんどん濃くなっていくようで、まわりの山々の色が急速に変わってきています。

刑務所生活については、すでに三年もたってしまうと、なにやら「時の流れに身をまかせ」という感じになってしまい、僕自身に関してはこれといった変化は今のところありません。しかし、昨年の末以来工場内の規則がいろいろといじくりまわされ、特にこの四月に入ってからは日替りメニューのように変えられ、おかげで工場内の雰囲気がすっかり落ち着きをなくしてしまいました。いろんな面で仕事がやりにくくなり、ミンクのコート作りのような集中力を必要として、従って静かな雰囲気を必要とする仕事場においては、まるで仕事がじゃまされているかのような状況を呈しています。これも規則のいじくりまわしが現場を少しも考慮しない自己満足的なものになってしまっているせいですが、こうなると、工場内のドタバタした様子はまさにマンガ的としかいいようがなく、腹立たしさよりも滑稽さを感じてしまいます。

こうなっているのも、多分に、例の東拘での大量脱走（一九九六年三月、雑居房に入っていたイラン人たちが集団で脱走した事件）という信じられないような事件の余波の面もあるのでしょう。なにしろ、この事件は、東拘に長くいた者から見れば、脱走したイラン人たちの見事さよりも、看守たちの怠慢さをさらけ出してしまったような出来事であり、従って、当然のことながら、各収容所の幹部たちへの法務省の監査が厳しくなり、それが収容所内の規則の「ひきしめ」となっていると思われるからです。きっと東拘では、収容者がいろんな面でやっかいな思いや煩わしい思いをさせられていることだろうと推察されますが、こういうことは、現状では柳に風で受け流しているが一番でしょう。

日米安保の再定義は、日米安保体制の強化を宣言するものでしたが、これはとりもなおさず、アメリカの東アジアにおける覇権主義のために、日本のアメリカの先兵としての役割を一層推進していくことを表明したものであり、アメリカはそうすることによって、中国封じ込めとＡＳＥＡＮ諸国の自立化の阻止を策動していることは明らかです。また、日本としても、国内の経済不振や政治腐敗などの閉塞的状況に対する大衆の不満をそれによって外にそらしていこうとするのが見え見えです。従って、こういう中で沖縄問題を一つのきっかけとして反安保闘争の新たな動きが生まれているのも、当然のことであり、この動きが今後どのように発展していくか大いに注目させられるところです。これまでの二度の反安保闘争の失敗の経験を生かして、新しい反安保闘争を大事に大事に育て、今度こそなんとしてでも勝利させなくてはならないと思います。少なくとも、自分たちの誤りやミスによって敗退させることがないようにしなくてはならないと思います。そのためにも、六〇年反安保闘争と七〇年反安保闘争の敗北の総括を徹底化させ、大衆化させていかなくてはならないと思いますが、やはり総じてこのための努力が不足していることを痛感させられます。このことは、いずれ改めて書こうと思いますが、いずれにしても、様々な闘いを反安保闘争へと合流させていくための闘いが心から望まれるところです。

丸岡さんが元気になりつつあるとのこと、一時は生命に危険ありといったような報道まで耳にし、一体どういうことなのだろうと気になっていただけに、ヤレヤレという思いです。やはり、獄中で闘いぬいていくことは、生きぬいていくことでもあり、健康に注意していくことも大切な闘いであることを強調しないではいられません。僕自身にしても、東拘にいた時はずいぶんとムチャをしたものですが、しかし、体を少しでも鍛えておくことにも僕なりに努力していたので、ムチャも出来たのだろうと思います。丸岡さんも丸岡さんなりに努力していることと思いますが、生きぬいていくことの大切さを忘れないようにしてほしいと思います。

学習の方は、相変わらず物理や数学を中心にやっていますが、その他に昨年から簿記会計をやっています。なんで今さら簿記会計をやっているのか、と思われるかもしれませんが、これははじめ工場の仲間へのおつきあいで始めたことでした。なにしろ、ミンクのコート作りのような仕事では仲間との協調が大切であり、従っておつきあいも必要になってきます。自分のことだけを考えていればよいというのでは、この仕事では絶対に通用しないばかりか、禁物というわけです。そういった事情で始めた簿記会計でしたが、今では僕なりに楽しんでやっています。

僕のこれまでの経済学の学習はもっぱら理論的な面でのものであり、経済的分析も統計的な資料に基づいてのものでしたから、現実の経済活動についてはほとんど無知に等しく、「論語読みの論語知らず」ならぬ「経済読みの経済知らず」でした。ですから、この簿記会計の学習は、現実の経済活動に対する知識を得る上で良い機会になっている、というわけです。

今は、商業簿記だけではなく工業簿記もやっていますが、こうして実際に簿記会計をやっていると、この簿記が社会主義的計画経済のもとでは企業経営の上で決定的な役割をはたすであろうことを理解させられています。簿記会計は商品経済の発展とともに成長し、資本主義経済のもとでは企業経営において不可欠のものとなっていますが、それはとりもなおさず、資本主義経済のもとでも企業経営において計画性が要求されているからであり、従って、各生産部門の社会的協業体制が確立していくとともに、その協業の結合をはたすものとして簿記が決定的な要となるであろうことは明らか、というわけです。

問題は、資本主義のもとでは生産が社会性をもち、従ってそれだけ簿記に基づいた計画的生産が要求されているにもかかわらず、私的所有によって経営が私的な意志に左右されていることであり、このことのために、簿記は依然として従属的・補助的役割しか果たしていないということでしょう。おもしろいのは、簿記会計がきちっとしていれば、経営者は必要でなくなり、各生産・販売部門の代表者による経営委員会があれば十分である、ということがよくわかることです。

かつての左翼は、こうした実務的なことが苦手で、それに対する知識は無に等しいといっても過言ではありませんでしたが、やはり実務的なことをぬきに社会の変革なんて問題にもならないわけで、こうしたところにも、かつての左翼が観念論の世界に迷いこんでしまいがちだった原因をうかがうことが出来るように思います。労働能力や実務能力、技術能力を備えてこそ、本物の左翼といえるのではないかと思います。もっとも、こんなことは、レーニンが『左翼小児病』などでとっく指摘していることですが…。

というようなわけで、技術的な面や実務的な面の学習も、時間的な余裕があれば――といっても、もう残刑は二年半もありませんが――可能な限りやっておこうと思います。

今日は、こんなところです。連休も今日で終わり。明日から仕事です。ではまた。

（一九九六年五月六日）

オウムと連赤の類似点と相違点

冬が寒かった分だけ、今年の梅雨は、梅雨らしいうっとうしい天気の毎日となっていますが、いかがお過しですか。これまでのところ、うっとうしい天気の割には雨らしい雨が降りませんでしたが、先日からは本格的な雨となっています。何で「梅雨」というのか諸説があるようですが、単なる「雨期」というよりは「梅雨」の方が、季語を含んでいてずっとすばらしい表現だと思います。しかし、このうっとうしい天気のためこの時期は、南アルプスの山々がいつも雲に隠れてしまっていてめったに見られないのが残念です。ただ、雨があがったときなど、まわりの山々が姿を現し、その山々に霧がかかったりして、水墨画的風景を作り出してくれ、うれしい限りです。こういう雲や霧がかかった山々を水墨画で表現するにはどうしたらいいか、あれこれと研究していますが、結局、手間をかけ慎重に薄墨から濃墨へと重ねていくしかないようです。

僕の方は、相変わらずの毎日で、あれやこれやと忙しくやっています。仕事の方も今のところ順調です。等工（懲役囚に対して、仕事面で一〇段階の等工が設けられ、まず見習工から始まって、九等工、八等工…と順に昇進し、一等工に至る制度。労働能力の評価のようであるが、実際には一定の期間無事故でいれば自然に昇進する）の方は、今年の一月から一等工になっており、賞与金の方は、先月分が一〇、六二九円と一万円台になっています。やっとこさ月に一万円程もらえるようになったというわけです。せめて月に一〇万円はもらえる位には上昇を続けてほしいものです。

話は変わりますが、『伊呂波通信』（二八号）によると、丸岡さんの病状は相当に良くなったようで、ヤレヤレという思いです。一時は大変に悪化し、つらい思いをさせられたことがわかりますが、そんな時にも執行停止にしなかった裁判所の姿勢は、永田さんの時におなじみのもので、まったくやりきれない思いにさせられます。病状が最悪の事態をぬけ出し、快方に向かったのは、丸岡さん自身の頑張りと楽天的な精神によるものでしょうが、これからの長い獄中生活を思うととても楽観できず、あれこれと心配させられます。

この（二八号）には、かつての連赤裁判の判事を一時期務めた石丸俊彦氏の一文、『オウム真理教と連合赤軍との類似性』があり、オヤオヤという思いにさせられましたが、こういう文を朝日新聞に投稿したりしているのは、いかにも石丸氏らしいです。しかし、その内容たるや、二〇年も前の水準から一歩も出ておらず、おそまつの一語につきます。連赤を弁護しようとしている姿勢も、これでは少しも弁護したことになりません（もっとも、そういう姿勢がないよりはましかもしれませんが）。

オウム真理教と連赤の間には確かに類似性はあるでしょう。しかし、「崇高な観念も、一皮むけば欲望の発露の『まぶし』に過ぎない」と述べ、それを「欲望の発露」なるものでもって解釈するのは、それこそ問題の本質を「まぶす」ものでしかありません。しかも、これでは、それぞれの行動を特徴付けた「崇高な理念」自身の是非を問題にすることもできません。ところが、まさに問題にしなくてはならないのは、この「崇高な理念」そのものなのです。

連赤と「オウム真理教」とはまったく異なった状況、時代、条件のもとでの問題であり、従って両者の単純な比較は、そうした状況、時代、条件の相違を曖昧にするものでしかありません。そうした点を踏まえた上で類似性を指摘できるとすれば、それは、連赤が、反安保闘争、沖縄闘争、大学闘争の激化の中で、新左翼諸党派が離合集散し、乱立競合し、互いに自党派の優位性、絶対性を強調し合う中で発生したように、「オウム真理教」も、いわゆる新興宗教団体が乱立し、互いに自教団の優位性、絶対性を強調し合う中で発生したという点にあります。まさに、この点こそ注目すべきで、ここから、共同体的組織の排他性、純粋性、集団性を要求する力が内的に、あるいは外的に働いていく必然性が生まれていったことは、容易に理解できることと思います。このことは「オウム真理教」が「統一教会」や「幸福の科学」といった同じ傾向の新興宗教団体と激しい対抗関係にあったことからも指摘できることです。

「オウム真理教」は、激しい修行と厳しい出家とによって自教団の絶対性、優位性を確立していこうとして、それがどの宗教団体よりも排他性、純粋性、集団性を強めることになり、「オウム真理教」の組織的結束の基軸となっていたオカルト的な「崇高な理念」を純化させ、超《ウルトラ》精神主義の観念論、反社会的な独善性を徹底化させていくことになったわけで、まさにその結果が、対内的な離脱者の殺害と対外的なサリン事件などの諸事件を引き起こしていくことになったのだと思います。いいかえれば、これらの事件は、「オウム真理教」の「崇高な理念」そのものの実体に他ならず、それはちょうど連赤の山岳ベースでの同志殺害が「共産主義化」の思想そのものの実体であったのと同様です。というのは、連赤は、この「共産主義化」の思想を党建設の基軸にすえ、実行していくことによって、どの党派よりも優れた「新党」、権力とのいかなる緊張にも耐えられる強力な「新党」を作り、それによって革命運動を指導し、牽引していこうとしたからです。

だから、こういう問題を指導者の「欲望の発露」によって解釈し、「崇高な理念」をこの「欲望の発露」の「まぶし」としてしまうことは、問題の本質を見えなくさせるばかりか、問題にしなくてはならない「崇高な理念」そのものの是非をも曖昧にしてしまうもので、まさに二重に誤っています。

石丸氏が今もってこのような解釈を振り回しているのは、結局、石丸氏には連赤敗北を克服しようとする姿勢がまったくないことによります。もっとも、これはあたりまえのことですが、そういう石丸氏と同じ解釈にしがみついている人たちが連赤関係者の中に未だいるということは、もはや笑止という他ありません。ところで、連赤が、新左翼諸党派が乱立し、お互いに自党派の優位性、絶対性を強調し合う中で発生したということから問題にすべきことは、何故に諸党派はお互いに共闘関係を作り、共闘によってより広範な闘いを創出し、権力を包囲していくことができなかったのか、ということに他なりません。まさにこの問題こそ、当時の闘いの敗北の総括において第一に取り上げられなくてはならないことです。ここに、当時の左翼の一党独裁主義的傾向を問題にしなくてはならない根拠があります。

　このことがわかっていれば、ソ連の「社会主義」が崩壊したからといって少しもあわてる必要もまごつく必要もないのですが、「社会主義」の内実についてまじめに考えようとしない人が多いのは、まったく情けない限りです。「社会主義」や「共産主義」の看板を掲げているかどうかによって対象を判断してしまう傾向が克服されていくのはいつのことでしょうかね。

　六月ももうすぐ終わり、すぐ七月になりますが、ここで見ているテレビの感想などについても、そのうち書こうと思います。というのは、けっこうおもしろいビデオ映画を見させてもらっているからです。映画については、僕なりにいろいろと意見や考えがあるだけに、今の映画について、いろいろと批判的に取り上げたいと思っています。ではまた。

（一九九六年六月二七日）

安保・沖縄の重要性

早いもので、もう九月も中旬を過ぎようとしていますが、お元気ですか。今年の夏は、雨が少なく、水不足が騒がれはしたものの、去年のような猛暑とはならず、いわば平年並というところで、この点では助かりました。九月に入ってからは、逆に涼しいくらいの日があり、そのせいか風邪が少しはやっているようですが、僕の方は例によって快調に過ごしています。今は、来月の運動会にそなえて、せっせと体調を整えています。二十ン年前のような華麗な走りは見る影もなく、二〇〇メートルを二二～二三秒台で走っていたことを思うと、あまりの体力の低下にガッカリさせられますが、それでも若い人たちにまじってスピードを競っています。練習の仕方によっては少しはスピードをあげられそうで、僕なりにあれこれ工夫して努力していますが、一番ダメになっているのは、やはり足のバネでしょうか。もちろん、走るフォームなんてもうメチャクチャですが、二十数年の坐りっぱなしの生活によって最も衰えたのは足の筋肉、特にバネであり、これを少しでも取り戻せればそこそこには走れそうです。とにかく体力をつけることは出獄後の生活にとって不可欠のことですから、ここにいる間は運動の機会を可能な限り生かしていくようにしています。

先日『春雷』（塩見孝也氏たちのグループ「自主日本の会」の機関紙）創刊号に目を通しましたが、

内容についてはあまりいただけない感じがしました。いったい何を作ろうとしているのか、党なのか共闘組織なのか、そのへんのところが例によって曖昧になっており、どういう形の運動を作ろうとしているのか少しも見えてきません。民族問題の主張についても明確さがなく、とても運動の新たな方向を指し示すものといえません。これでは現実の停滞状況に対してほとんど影響を与えることはできず、これまでと同様、仲間うちだけの運動に終始してしまうことでしょう。もちろん、塩見さんたちの努力は評価しますが、せめて民族問題を歴史的かつ具体的にとりあげる努力ぐらいはしないと、とても腰の坐った運動を作っていくことはできないと思います。なぜなら、今もっとも必要なのは、明確さをもった基礎的な作業だからです。

たとえば現在、民族問題としてとりあげるべきことは、安保問題と一体に、戦後五〇年をめぐって現れた様々な反動的主張ではないかと思いますが、それがほとんどまったくといっていいほどありませんでした。特に、明治維新以降の日本の歩みと一五年戦争とを切り離すことに反対し、一五年戦争を否定するならば明治維新を否定するのとかという形で、一五年戦争を居直ろうとする傾向が台頭している現実への批判を通して、近代日本に対しての明確な歴史観を提示していく努力がありません。これでは日本民族としての確固とした民族意識を確立するためには何の役にも立ちません。

このへんのところは、手もとに資料がないので具体的に書くことができませんが、この点で大いに参考になるのは、『噂の真相』（九六年六月号）に掲載されていた姜尚中氏の「現代をゆく、

第一五回、『アメリッポン』の幻影」です。この小文の中で、姜氏は、日米安保の「再定義」について「第二のサンフランシスコ条約といっても言い過ぎではないのだ」と断じ、その理由について、

「かつて安保締結の日本側代表であった吉田茂は、日米安保を、戦前の日英同盟の『戦後版』として理解していたそうである。世界最大の覇権国家との同盟関係から離れたことが、あの『一五年戦争』の失敗を招いたのであり、したがって戦後最大の超大国である米国と一蓮托生であれば、二度と失敗はくり返さないはずだ。吉田はそうふんでいたのだろう。戦後の自民党政権はこの『思い込み』から一度として自由であったことはなかった。そして連立政権になってからは、社会党までもその呪縛にとりつかれていたのである。だが、そうした覇権国家との従属的な同盟関係は、戦前も戦後もアジアへの国権の拡張と一体になっていた。戦前、日本はパックス・ブリタニの『極東代理店』としてアジアへ侵出をはたし、挙げ句の果てに本店にとって代わろうとして自滅することになった。この轍を踏まないよう戦後はあくまでも米国の出先機関の役割に徹してきたが、いまや第二の本店の地位を望むようになったわけだ。この『アメリッポン』の幻影こそ安保の『再定義』に走り出した政府・与党の本音だろう」

と述べています。そして、この「再定義」に対して、「それは危険な幻影である。なぜなら、それは東アジアの実体からますます遠ざかっていくだけでなく、敵対的な緊張をあおることにも

なりかねないからだ」と警告しています。自民党政権の「思い込み」は、「二度と失敗はくり返さない」といった類の反省にとどまるものではなく、それよりはるかに重大な内容をもつものですが、姜氏の指摘は、明治維新以降の近代日本の歴史の核心をついており、それによって日米安保体制のもつ敵対的性格を明らかにしています。塩見氏たちにも、せめてこれぐらいの主張をかかげてほしかったと思います。

　とにかく、日本は、戦前も戦後も覇権国家の先兵となることによって東アジア諸国に敵対するとともに、覇権国家に寄生することによって経済成長を実現してきたのであり、それが近代日本の歴史の骨格をなしています。そこには、残念ながら、日本民族として誇りうるものは何一つありません。明治維新にしても、日本を欧米による植民地から守った革命なんてのはウソっぱちで、実際は、イギリスとフランスが日本を傀儡国家にせんとして行われたイギリスとフランスの間の代理戦争にすぎず、イギリスの先兵となった薩長勢力がフランスの先兵となった徳川幕府勢力に勝利したことによって実現したのが明治維新の真相に他なりません。こうして、日本は当時の覇権国家イギリスの従属国家として出発し、イギリスの先兵となってロシアの南侵への対抗と東アジア諸国への侵略を行いながら、その経済的基盤のための軍事的資本主義経済を育成し、軍事大国化しました。一五年戦争は、第一次世界大戦以降、覇権国家がイギリスからアメリカへと移っていく過程で発生した軍事国家日本がイギリスにとってかわろうとして発生した暴走に他なりません。敗戦とともに軍国主義者たちが日本人に押しつけていた「鬼畜米英」のスローガンをいともあっさり投げ捨て、無条件降伏したのも、本質的には彼らが傀儡勢力にすぎなかったからです。だから、危機におちいった傀儡勢力の延命は、日本の新たな支配者として登場した新覇権国家アメリカへの従属以外になかったのであり、従って、戦後日本が日米安保によって今度はアメリカの従属国家として出発していくことになったのは、彼らの「失敗」に対する単なる反省の域にとどまるものではなく、まさに傀儡としての必死の延命策以外のなにものでもなかったのです。

そういうわけで、このような近代日本の歴史の核心に触れることなくして、日本民族としての民族意識を確立していくことは不可能であり、それ故、革命的民族運動のために、日本近代史を徹底的かつ全面的に捉え直し、日本の歴史の大きな流れを復活させ、日本民族としての自覚と誇りを持つことを可能とする歴史観を確立していく必要を強調しないではいられません。

安保問題の核心をなす沖縄問題で、大田知事が米軍用地の強制収用のための「公告・縦覧」の代行に応じることを正式に表明しましたが、このことで大田知事を責めてもしかたなく、むしろ筋違いといえましょう。なぜなら、大田知事の奮闘にははじめから知事としての限界があったからで、むしろ問題は、大田知事の努力を支えていく反安保闘争、基地闘争の力不足、特に「本土」の側におけるそれであり、それからすれば、改めて安保問題、沖縄問題の重大性をここまでつき出した大田知事の奮闘は、大変なものであったことに注目すべきと思います。

今日は、こんなところです。みんなによろしく伝えて下さい。お体にはくれぐれも気をつけて下さい。

（一九九六年九月一七日）

和太鼓に感動

一二月にしては暖かい日が続いていましたが、それも今日まで。すでに冷たい西風が吹きはじめています。ここの西風は、「北岳おろし」とでもいいましょうか。なかなか強烈な西風が吹きます。明日は運動日なので、運動のとき、一段と白くなった間ノ岳などの山々を見ることができるのではないかと期待していますが、この風の強さでは、雪雲につつまれてしまうかもしれません。

それにしても、一二月はあわただしく過ぎてゆきます。いろいろと行事があるせいかもしれませんが、僕にとっては、仕事に追いたてられているという感じです。行事といえば先日の一二月一四日に、慰問演芸が久しぶりにありました。慰問といっても、いつもの歌手が来て歌うというものではなく、甲府にある日本航空高等学校のブラス・バンドと和太鼓のグループの演奏です。ブラス・バンドの方は、残念ながらおせじにも上手とはいえず、しいていえば、中学生のブラ・バンよりはましというもので、いささかガッカリさせられましたが、和太鼓の演奏は、ちょっとしたもので、聞きごたえがありました。よく練習していることがうかがえましたが、演奏の全体の流れから、かなりしっかりとした経験者による指導があることを感じさせるものでした。つまり、演奏している高校生たちの努力よりも、その高校生たちをよく訓練している指導の成果を際立たせるものであった、というわけです。

このことがいいことか悪いことかどちらともいえませんが、それはそれとして、久々に聞きごたえのある演奏が聞けた点は、ありがたかったです。この点では、ブラ・バンの演奏が先だったので助かりました。こっちはブラ・バンの経験もありますから、期待はずれのものを聞かせられると、よけいにガッカリしてしまいます。

昨日は、総転房があり、それまでの西向きの房から東向きの房に移りました。西向きの房からは、窓の外側にあるフェンス越しに南アルプスの山々が見えましたが、東向きの房からは、窓にフェンスがないので大菩薩峠をはじめ、東方の山々に至るまで外の風景がしっかりと楽しめます。というのは、今いるところは、三階だからです。夜景もなかなかきれいです。もちろん、ここは田舎なので、街のネオンサインの輝きを見るようなわけにはゆきません。それだけに、遠くまで明かりが点々と続いている様子は風情があります。

今年もあと少しで終わりです。なにかとせわしないことと思いますが、どうかお体にはくれぐれも気をつけて下さい。そして、よいお年をおむかえ下さい。ではまた。

（一九九六年一二月一八日）

独房生活は極楽？

労働能力は一つの財産

またまた御無沙汰してしまいましたが、お元気ですか。年賀状とお手紙、受け取りました。それから連絡が遅れてしまいましたが、『北京週報』も受けとっています。どうもありがとうございます。『北京週報』は、残念ながらまだ手元には来ていませんが、これはいろいろな意味で、中国の動向や傾向をつかむうえで最良のものであり、これを読んでいないことには中国の情況がわからないので、大助かりです。

僕の方は、例によって快調にやっています。昨年末には大流行していた風邪を僕もひいてしまいましたが、正月休みが一二月二八日から一月五日までの九連休もあったので、この休みのうちに治してしまいました。ただ、この時、三九度もの熱が出たのにはいささかびっくりしてしまいました。坐っていても、頭がフラフラし、気がスーッと遠くなっていくような気分にさせられ、どうもおかしいなと思って体温計ではかったら、三九度もあったというわけです。こんな高熱になったのは久しぶりのことでしたが、年末年始の休み中だったので助かりました。すぐに居房休養が認められましたが、僕の場合は、熱が出たときには寝て汗をかいて治すのが一番であり、今回もそうして治してしまったというわけです。どうも薬を飲むと、かえって体調がおかしくなってしまう傾向にあるようです。

　今年の風邪は高熱が出るのが特徴のようで、工場でも、昨年の一二月下旬から今年の一月中旬にかけて風邪が蔓延し、何人かが高熱を出して病舎入りをしていました。外ではこの風邪のために死者が出ていることが新聞に出ていましたが、くれぐれも気をつけて下さい。そんなわけで、せっかくの九連休の正月休みにもかかわらず、予定していた勉強の方はあまり出来ず、いささか冴えない正月休みになってしまいましたが、たまにはこんな正月休みがあってもいいかもしれません。

　今年の冬は、昨年と比較すると、暖かい日が続いているようです。それでも、正月休み最後の日の五日に降った雪が日陰ではまだ残っていて、朝の冷え込みもかなり厳しい日があります。一月下旬から二月中旬までが最も冷え込む時期なので、これからが寒さの本番であり、今年の寒さがどの程度のものとなるか楽しみにしています。雪が降るのも楽しみですが、雪が降ると外で運動が出来なくなるので、その点では困りものです。

　工場の方は、相変わらずの毎日で、やっかいな思いにさせられながらも、僕なりに楽しくやっています。やっかいなことでは、やはり何やかやと規制があることが大きいのですが、それと同時に、新人の育成も大きな難題です。というのは、僕の仕事場では、何とか仕事が出来るようになるまでに約半年、一人前といえるまでには一年もかかるからです。勿論、今では前と違って新人の育成にもかなり余裕をもってやれますから、それほど困っているわけではありません。しかし、時間をかけて腕を磨いていくしかないのに、一般的な傾向として、時間をかけないですぐにも仕事を旨く行くようにしたがる人が多く、ちょっとやって旨く行かないと投げやりになったり、ふてくされたりするので、彼らから頑張りを引き出していくのは、やっかいなことです。宥めたり、すかしたり、おだてたりと、あの手この手を使って仕事をやってもらっていますが、それでもそんな人が何とか仕事が出来るようになると嬉しいものです。

職人的な仕事に必要なよい腕というのは、とにかく理屈でどうにかなるというものではなく、経験を積み重ねながら自分で身につけていくしかないわけで、そういう面での労働能力は一つの財産であることを理解させられています。おもしろいのは、何らかの形で一つの仕事に必要なよい腕を身につけると、他の仕事にも応用がきくようになり、たいていの仕事はこなせるようになるということです。こういう点では、この甲府刑務所での仕事は、僕にとっては貴重な経験となっています。だから、他の懲役の仲間にも刑務所での生活と仕事を少しでも有効に生かしていくように言っていますが、ただ、それに見合うだけの仕事がそろっているわけではないので、誰にでも言えることではないのが現実です。

学習の方は、物理や数学の他に、例によって簿記会計の方にも力を入れています。今は一級のコースをやっています。これはかなりむつかしいものの、なかなかおもしろいです。一級のコースは、規定では大企業経営向けとなっており、今やっている商業簿記では、株式会社の創立、合併、清算、社債の発行と回収、内部利益の処分や損失の処理など、企業活動の全般を扱っています。これらは僕にとっては初めて扱う分野であり、なかなか興味をかきたてられます。これは多分に僕がマルクス経済学の立場から企業活動を捉えようとしているからかもしれませんが、僕なりに楽しませてもらっているというわけです。

　商業簿記の方は、二月の中旬頃までには一通り終え、その後工業簿記を三月末か四月の上旬頃までに終える予定でいますが、その頃には、簿記会計に対しての僕の考えも、かなりまとまったものになっていることだろうと思います。とにかく、簿記会計は、企業活動の全体を把握する上で不可欠のものであり、これを通して企業活動の実態を知ることができると同時に、それによって企業が進むべき方向を明らかにしていくことができるわけで、この点で、簿記会計は企業活動の実質的権限を有していると言えそうです。

　一九九七年も、昨年末に行われた東拘での三人の死刑執行で、気のめいる思いで迎えることになりましたが、こうした死刑執行の圧力に負けず、それをはねのけていく頑張りと奮闘があらゆる領域で要求されています。しかも、日本が直面している情況は、日本がますます革命的変革を必要としていることを明らかにしており、このことは、今や誰にも自覚されてきています。だからこそ、保守系の論調は、体制内改革の必要を必死になって主張しているわけで、それは悲鳴にも似ています。というのは、その改革のための方針も人材も条件もないため、空元気を吹くだけとなっているからです。もっとも、それに対抗すべき左翼の側も元気があるとはいえず、当分、混迷する情勢の中で日本の低落傾向ばかりが目立つ事態が続くことでしょう。

冬はこれからが本番、くれぐれもお体には気をつけて下さい。父さんにもみんなにもよろしくお伝え下さい。ではまた。

（一九九七年一月二〇日）

「北の国から」を見て思い出したこと

二月に入ってから、かなり暖かい日が続いており、この調子では暖冬で終わりそうですが、いかがお過ごしですか。日本海側は、例の重油大量流出（若狭湾沖でのロシアの貨物船の座礁事故によって大量重油が流出し、若狭湾沿岸を汚染した事故）で大わらわのようですが、例によってここでも日本の行政の無能ぶりが発揮され、被害を大きくしています。むしろ、この種の事故に対して何の準備もなされていなかったことに驚かされます。フランスやアメリカのアラスカで、重油や原油の大量流出という災害が、それへの対策の必要を警告していながらこのていたらくなのですから、日本の政治のお粗末ぶりは相当なものです。何かあってからドタバタと騒ぎまわり、それでいて日がたつにつれて曖昧にされていく、日本の官僚機構の無能、無責任、無力に原因があることがはっきりしているだけに、ここまでくると、日本人自身の問題というしかないでしょうね。

八日（土曜日）の夜のテレビ番組で、一〇年以上も前に放映された「北の国から」が流れ、その中で小学生の子供たちが夜の星空を眺め、その美しさに感動するシーンがありましたが、これを見ていて、牧之原で見ることができた満天の星空の美しさを思い出しました。小学生の頃は、まだ街の光による害が少なく、晴れた日には美しい星空が、それこそ三六〇度の広がりをもつ夜空に広がっていましたが、あの星空は美しいというより、圧倒されるような壮大さがあったように思います。こういう所で長年過ごしてきたせいか、牧之原の空の大きさは、なつかしい限りです。冬、日が暮れてからよく姉さんをバス停まで迎えに行き、その時、冬の星空をあきることなく眺めていましたが、このことが僕に宇宙物理学への興味の種を植えつけることになったようです。

　七日の金曜日に佐野さんから手紙が来て、二月一三日か一四日に面会に来るとありました。前回の面会が一〇月でしたから、四ヶ月ぶりです。しかし、ここにいては四ヶ月という期間は少しも長くはなく、つい先日のことにすぎませんから、少しも久しぶりという感じがしません。四〜五年もあいていたら、少しは久しぶりという感じがするというのが、正直な感覚です。

　三年程にわたる相対性理論の学習、研究の成果を何らかの形で提出したいと思っていますが、その一つは、ブラックホール内における巨大重力場による時空のゆらぎの量子的効果でしょうか。これは、ホーキングのブラックホールの蒸発の理論がヒントになっており、結局、現在の相対論的宇宙論においては形成が不可避なビッグバン及びブラックホールにおける特異点の扱いの問題に帰着します。僕の結論は、ブラックホール内自体が一つの宇宙で、その中でのブラックホールの特異点の消滅がビッグバンであるということ、従って、私たちの存在するこの宇宙自体も一つのブラックホール内の時空に他ならないということです。

この考えは、僕なりに長い間暖めてきたもので、ホーキングのブラックホールの蒸発の理論に接してはじめて具体的な構想となったのです。これから、この構想を一つの理論にまとめていかなくてはなりませんが、しかし、こうした理論を作りあげていく上で大切なものは、何といってもイメージ力であり、どれだけイメージをはっきりさせることができるかが問題というわけです。もちろん、これは一つの仮説にすぎませんが、この種の問題を扱った理論は、ほとんどが仮説にすぎず、ホーキングのワームホールの理論に比べたら、ずっと現実的ではないかと思っています。というのは、このワームホールの理論は、ブラックホールはこの宇宙から別の宇宙に通じているトンネルだという、実にＳＦ的なものだからです。もちろん、実際には、この理論は重力場の方程式の解に含まれており、回転するブラックホールの解が、こうしたＳＦ的な解を引き出しているのです。

というわけで、僕の宇宙物理学の学習も、いよいよ量子重力場の理論という最もやっかいな世界に足を踏み入れていくことになります。

他にも論文化したい課題はいろいろあります。その一つは、太陽（もちろん、太陽に限らず、太陽を含めた恒星ということですが）の活動の周期性に関するものです。それは、太陽の熱源となっている中心における核融合反応に活動期と沈静期とがあり、これが一一年周期を含めた太陽の活動期と沈静期（これは太陽の黒点の数、大きさの変動に現れている）の原因となっているのではないか、ということです。これは、地球における温暖期と氷河期とが太陽の活動期と沈静期とに対応しているという事実から、あれやこれや考えている中で一つのイメージとして固まってきたものですが、これにはかなり自信があります。ただ、この構想の理論化のためには、かなりめんどうな数値計算をしなくてはならず、しかもそのためのデータもないため、今のところ構想のままにしています。

しかし、こうしてあれこれ学習している間に自分なりに課題を見つけ、それに対するイメージが形をもってくると、ワクワクしてきて、一人で興奮したりしています。おもしろいところでは、ガンやウイルスの活動を量子力学の観点から捉え返してみたものもありますが、生物物理学の分野は残念ながらちょっとかじっただけで、まともにつきあったことがないので、今のところ手をつけることはできません。しかし、例えばエボラ・ウイルスには人間に致命的な打撃を与えるものとそうでないものとがあるのは何故か、ということを考えたとき、生物と無生物の中間に位置するウイルスの活動を理解するには量子力学が不可欠なことを感じないではいられません。

（一九九七年二月九日）

ニャンコのこと

甲府はいつもより一週間以上も早く桜が咲き出し、この房の窓から見える桜はすっかり満開になっています。今日は、昨夜来の雨があがって快晴となり、東の方に見える大菩薩峠をはじめとする奥多摩の山々に西日があたって、きれいな山並みを見ることができます。今頃の時期、このように山々の姿をくっきりと眺められるのはあまりないので、何やら実に新鮮な感じです。これで、今年の越冬も終わり、これから春本番を迎えることになりますが、この時期は雪におおわれた南アルプスの山々が最も美しく見える時でもあり、雪の南アルプスと平地の桜という甲府特有の風景を楽しむことができます。

牧ノ原の農場の桜の木は、手入れをすればもっと美しく咲いてくれたのではないかと思いますが、あの桜のおかげで毎年居ながらにしてお花見が楽しめました。そういえば、高校生の時の春休み、桜が咲きはじめた頃に、地学部の友人たちと地質調査の準備のために大井川の一番上流にある畑薙ダムに行くと、ダム湖沿いの林道に雪が積もっていて、同じ静岡に居ながら桜の花と雪とを同時に見たことにすごく奇妙な思いをしました。あの頃の南アルプスは、原生林そのものでしたが、今ではパルプ会社による伐採で原生林がわずかになってしまったわけで、どうして国立公園でありながら保護されていないのか、信じがたい思いがします。

農場の塀の角の桜には、よく猫の「ニャンコ」がよじのぼり、夏には木の上で涼んでいたのを思い出しますが、「ニャンコ」という名前ともいえない名前のままでいたあの猫は、結局、名無しのままだったわけで、なにやら夏目漱石の『吾輩は猫である』の中の猫そのものだったように思われます。しかし、僕にはあの猫の生き様が強く印象に残っており、特に、ある日フッといなくなってしまったという形で亡くなったことには、なにやら敬服させられる思いです、家で飼っていたとはいっても、半分は野生のままだったわけで、食事の時など、どんなに叱られてもお膳の上に並べられた魚を盗むことを決してやめようとしなかった精神はたいしたものだったと思います。「ニャンコ」には、飼われているという意識はなく、ただそこにいてやっているという気持ちだったのかもしれません。人間もかくあるべきかもしれません。

　山越えにおける僕の先導に対する坂口弘さんの評価は、今だからいえる面もあるのではないかと思いますが、高く評価してくれていることには感謝します。あの時のことについて言えば、あのまま僕が先導を続けていれば、道に迷うことなく目的地に行くことができたでしょうし、そうなれば浅間山荘での銃撃戦もなく、従って僕らの歩みはもっと違った形になったことでしょう。とはいえ、こういう「もし」は、歴史においてはたいして意味をもっておらず、まさに詮無いことです。むしろ、銃撃戦がないまま、山岳ベースでの問題が表に出ていたならば、連赤はもっとひどい状況におちいっていたことでしょうし、銃撃戦を経て敗北したという、なるようにしかならなかった現実をかみしめることの方が大切です。また、こういう形になってしまったのは、当時、指導部が僕を十分に活用できなかった面もあるわけで、このへんが歴史の皮肉な悪戯といえるかもしれません。

『伊呂波通信』(三四)で、大塚さんがバルトークについて書いていること、大いに興味を持って読んでいます。なにしろ、僕にとって、ベートーヴェン以降の音楽で、強く影響を受けたというか、好きな音楽がショスタコーヴィッチとバルトーク、特にバルトークの弦楽四重奏曲やヴァイオリン・ソナタだからです。大塚さんが、

「ベートーヴェンと相通じる器楽作家がもつ器楽的旋律とその美しさ」

「高貴なまでの厳しい世界から紡ぎ出される張りの強さを秘めた美しさ」

と、うまく表現してくれていますが、まさにそのとうりです。もちろん、それだけではない深い思想的表現があり、これは弦楽四重奏曲やヴァイオリン曲に著しい特徴ですが、ベートーヴェンの弦楽四重奏曲に対抗できるものはバルトークのそれではないかというのが、僕の印象です。

残念ながら、もう三〇年近くバルトークの弦楽四重奏曲を聞いていないので、かすかな印象としてしか語れず、今聞けば、また違った感想をもつことになるかもしれませんが、いずれにしてもバルトークの音楽をもっと勉強しておきたかったと思います。バルトークについては、いずれまた書きます。

ところで、赤井君(能役者で劇団「嵐」のメンバーとして活躍)が亡くなったとのことですが、本当ですか! 初めて知り、びっくりしています。二八歳とのこと、具体的なことがわからないの

で、「どうしてまた！」という思いです。面会に来てくれた時の彼の顔が浮かんできます。鳥取にも行ってくれたことがあり、外で会えることを楽しみにしていただけに、まったくやりきれない思いです。残念！　残念！　残念！　です。

（一九九七年三月三〇日）

正五角形の書き方

六月も今日で終わり、明日から七月となり、次第に暑い夏が近づいて来ますが、お元気ですか。甲府の方は晴れるとすぐに三〇度を越え、暑い日となってしまいますが、桐生の方はいかがですか。そういえば、二六年前の一九七一年、草木ダムの工事現場の調査のために、桐生から足尾の方へと何度か足を運んだのは、ちょうど今頃でした。足尾線に乗って、工事をしている近くの無人の駅に降り、そこから線路沿いにある無人の小屋に行って夜中まで一休み、夜中に工事現場の調査へと行きましたが、翌朝、桐生まで来て、桐生の食堂などで朝食をとったりしたことを思い出します。

甲府の夏の暑さは、猛烈の一語につきますが、その夏も、甲府に来て五度目を迎えます。最初の頃は、四〇度近い暑さに信じられないような思いをしましたが、今はもうたいして驚かなくなってしまいました。先日も三六・五度になり、僕の体温より高くなってしまいましたが、それほど暑さを感じなかったのですから、おもしろいものです。今は、この夏の暑さに体を慣れさせているところです。おそらく、今の状態でいけば、今年の夏も快調に乗り切っていけそうです。

　僕の方は、相変わらずの毎日で、仕事と勉強と水墨画で一日一日を過ごしています。五月にはちょっとしたつまらないことで懲罰になってしまいましたが、刑務所における懲罰を何らかの形で経験しておかなくてはと思っていましたので、ちょうどよい機会でした。これで、懲罰のことについても報告することができるし、場合によっては、懲罰の在り方について訴訟によって問題にしていくこともできるし、いろいろな可能性を得ることができました。とにかく、無事故の「優等生」でいるだけでは、刑務所の現実を理解しきれているとは言えないわけで、そのため、四年も無事故でいて懲罰になる機会がなかなか得られなかったので、いささか困っていたところでした。もっとも懲罰といっても一週間でしたから、あまり大きな顔はできません。

　懲罰中は、いろいろと数学や物理の問題を考えたりしていたので、けっこう有効に使えました。例えば、正五角形の書き方を考えたことなどは、その一つです。実際、正五角形の書き方は、意外と知られておらず、僕自身もこれまでこれが出ている本を見たことがありません。

　結局、問題は、正n角形の描き方の問題になるわけですが、正n角形の一辺の長さが$2\sin(\pi/n)$で与えられることから、$\pi/n=\theta$とおいて、$\sin n\theta=0$としたときの代数方程式を解く問題に帰着することになります。このことから、定規とコンパスだけで描ける正多角形と描けない正多角形が一目瞭然となってしまいます。正五角形の場合は、半径rの円に内接する正五角形の一辺の長さが、$2\sqrt{(5-\sqrt{5})/2}$ で与えられることから、$\sqrt{(5-\sqrt{5})/2}$ の長さの書き方の問題になります。これがわかれば、ピタゴラスの定理により、$(5-\sqrt{5})/2=2^2-[(\sqrt{5}+1)/2]^2$ となることを用いて $\sqrt{(5-\sqrt{5})/2}$ の長さを書くことができるというわけです。

わかってみればなんてことはありませんが、正直にいえば、僕は、これまで正五角形の書き方を知りませんでした。あと、考えたことでおもしろいものは、3、4、5以外に整数でピタゴラスの定理が成り立つ数の組み合わせを求める一般式でしょうか。わかってみれば、どうってことはないのですが、意外と知られていない問題ではないでしょうか。

暑い夏を迎えますが、くれぐれもお体に気をつけて下さい。ではまた。（一九九七年六月二〇日）

新しい国家権力とは？

またまた御無沙汰してしまいましたが、お元気ですか。

お礼をいうのが遅れてしまいましたが、先月のはじめの面会、どうもありがとうございました。突然のことだったうえ、ちょうど懲罰明けのときだったので、いささか驚いてしまいました。おかげで、かなりトンチンカンなことばかり言っていたのではないかと思いますが、懲罰は何らかの形で経験しておかねばと思っていたところなので、ちょうどよい機会でした。なにしろ四年も無事故でいると、なかなか懲罰になる機会はありませんからね。もっとも懲罰といっても七日と短いものでしたが、級が二級から三級に落とされ、四年の無事故もとられ、工場での等工は見習工に戻ってしまいました。おかげで償与金も一万円前後から一挙に四九八円に転落してしまいました（笑）。それでも先月分は一〇五一円に増えました。三ヶ月たった段階でもとに戻っていくそうですが、しかし、たいした額の償与金ではないので、このことにはそれほどの関心はありません。月に一〇万円もらえるというのなら話は別ですがね。

工場の仕事の方は、見習工に戻されたとはいえ、これまでと変わりなく、相変わらず忙しい思いをしています。仕事仲間の交替による不安定な状態からも何とか脱却して、軌道に乗りつつあります。ミンクのコート作りというような手間のかかるやっかいな仕事を、およそそのような仕事向きではない人たちにやってもらうようにするというのは、やっかい極まりないことですが、たぶん四〜五ヶ月は順調にやってゆけるのではないかと思います。僕の残りの刑期もあと一年と少々になっており、後継者の育成にも力を入れていかねばならない段階に来ていますが、あとくされがないよう仕事の方はきれいにやってゆきたいものです。

ただ、工場内の仲間がすっかり新しい人たちに変わっていることもあって、ここのところ何となく落ち着かない気分にさせられています。なにしろ、僕と僕の次に古い人との間には二年近いあきがあるので、どうしても気持ちの上でズレが出来てしまいます。なんとか新しい仲間ともうちとけるよう努力していますが、中にはそういう努力につけこんでくるとんでもない人物もいたりして、頭の痛い思いをすることもしばしばです。やはり、同じ刑期の人が一人でも二人でもいてくれば、気持ちの上でもずっと楽になるのですがね。

ところで、しばらく前に、暴力革命論と武装闘争に関していくつかの議論にお目にかかり、その中で、日本は一応議会制民主主義国家であるから、武装闘争はすべきではないというような主張がありましたが、この種の主張は、日本の国家権力の特徴を含めて、多くの誤りを含んでおり、こういう主張が今頃になって出てきたりしていることにがっかりさせられます。これも、六〇年代〜七〇年代の闘いの総括論争が十分に広げられていないせいかもしれません。

まず第一に、武装闘争反対派も賛成派も暴力革命論＝武装闘争とみなす誤りを犯しており、これでは何故に暴力革命論が重要な位置を占めているかまるでわかっていません。暴力革命論の核心は、革命の中心問題が国家権力の問題にあるという点にあり、それは、革命のためには旧国家権力をそのまま継承して利用することはできない、旧国家権力を解体し廃絶しなくてはならない、ということに他なりません。これが暴力革命論の最も重要な点です。従って、暴力革命かどうかを問題にするとき、当然検討しなくてはならないことは、革命のために旧国家権力を継承して利用することができるかどうか、あるいは革命のために旧国家権力を解体し廃絶しなくてはならないかどうかであり、このことぬきに暴力革命かどうかを論じてもまったく何の意味もありません。

また、旧国家権力を解体し廃絶しなくてはならないことが明確になっても、だからといってそのことからただちに武装闘争が必要という結論が導き出されるわけではありません。そのことから明らかになることは、旧国家権力を解体し廃絶しなくてはならないとしても、そのための方法には平和的な方法もあれば暴力的な方法もあり、様々な方法の中でどのような方法をとるかは、その場の状況によって決定されなければならない、ということに他なりません。従って、武装闘争が必要になる場合もあれば不必要な場合もあるわけで、一概に決めることはできません。むしろ、大切なことは、旧国家権力にとってかわるべき新しい国家権力はどのようなものであるか、それは、現実の闘いの中でいかにして建設していくのか、といった具体的な課題を検討することであり、これらのことが明確にされなければ、どのような闘いが必要か明らかにすることが出来ず、従って、武装闘争についても、それが必要になったとき、現実の闘いに役立つような形で組織していくことは到底できません。七〇年代初頭の武装闘争が結局最悪の形で敗退してしまったのも、こうした問題に何一つ答えられないまま、「武装闘争が必要だ」と、状況の変化に流されるように武装闘争を行い、手探りの闘いを強いられてしまったからに他なりません。

もちろん、たとえそのようなものであっても、当時の武装闘争は、ベトナム侵略戦争を敗退させていく上でそれなりの役割をはたしたわけで、敗北したこと自体はそれほどの大きな重要性をもっていません。むしろ、敗北を通して、革命運動がかかえていた問題を目に見える形で明らかにした点で、重要な意味をもっていたと思います。

暴力革命の問題については、国家論の観点から論じなければならないわけで、国家権力の問題として扱う必要があることを改めて強調しておきたいと思います。また、武装闘争にしても、当時の経験をもとにして具体的に検討し、日本の実情に適した武装闘争の可能性について研究すべきで、このことはたとえ武装闘争が必要でなかったとしても、必要なことと思います。日本の国家権力についても、歴史的かつ具体的に論じるべきで、そうしなければ議会でのおしゃべりによって覆い隠されている日本の国家権力の実態を明確に理解していくことは到底できないと思います。

結局、このへんの基本的な問題について改めて論じる必要がある程、原則的かつ基礎的なことが曖昧にされてしまっているということでしょうが、いずれにしても大切なことはいかなる状況にも適格に対応できるようにしておくことであり、そのための準備を忘れてはならないと思います。

土用の丑の日にはうなぎの蒲焼きが出ました。パックに入ったものではなかったので、とてもおいしかったです。土用の丑の日にうなぎを食べるという習慣が、実は、平賀源内がうなぎ屋のために作った宣伝によって始まったということについては意外と知られていませんが、こういう時こそ平賀源内を思い出すぐらいのことはあってもいいのではないかと思ってしまいます。

今日はこんなところです。夏の暑さに負けないよう、お体にはくれぐれも気をつけて下さい。

ではまた。

（一九九七年七月三〇日）

永山則夫、岡本公三さんのこと

八月に入るとともに、いよいよ本格的な夏に突入したという感じの暑さになりましたが、それと同時に死刑執行のニュースが入ってきて、暑苦しさが倍加したような気分にさせられています。今度は一度に四人もの死刑執行を行ったばかりか、永山則夫氏への死刑執行も行うという、問題の大きい死刑執行です。札幌拘置所で死刑執行された二人は、天皇死去の際の恩赦を期待して控訴を取り下げたという経緯があるし、永山氏の場合は一度死刑から無期に減刑されたことがあり、それらを考えると、今度の死刑執行には理不尽さを感じないではいられません。

総保守化によって議会が機能を喪失し、それとともに官僚・警察政治が前面に出ている中でのこうした死刑執行の常態化は、日本をおおっている重苦しい閉塞的状況をますます強めていくことになり、それが他方での異常な犯罪を引き起こしていることと無関係ではありません。一体いつまでこういう状況が続くのか、やりきれない思いにさせられますが、こうした状況に風穴を開けるような有効な反撃というか、動きが見えないことも、やりきれません。この刑務所の中で歯ぎしりさせられるばかりですが、こういう思いをさせられている人たちは沢山いることでしょう。このような状況に耐えていくことも、必要な闘いというところでしょうか。これといったこともなしえていないことへの反省をこめて、永山氏たちの冥福を心から祈ります。

三級に落とされて、月二回しか発信できないため、面会へのお礼も書けないでいましたが、先日の面会、どうもありがとうございます。懲罰があったりしたとはいえ、御覧のように、僕は元気でやっています。懲罰で四年も続いていた無事故がとれて身軽になったせいか、気分的には気楽になりましたが、反面、無事故を続けるために自制する必要がなくなったので、そのうちまた懲罰ということになりそうな雰囲気が続いています。というわけで、今の仕事場からいつ抜け出てもいいようにしておこうと思っているものの、なかなか思うようにいかず、いささか四苦八苦しています。

八月一日の新聞に、ベイルート地裁で日本赤軍の岡本公三氏らに禁固三年の判決とありましたが、即時国外退去とならなかった点で、時間かせぎの判決となったようです。判決では、岡本氏に対して、「英雄的行為には敬意を表す」と述べていたそうですが、日本政府などによる圧力を受けている中での苦しい選択を強いられていることが直接に伝わってくるような判決でした。むしろ、レバノン政府に「援助」をちらつかせた圧力をかけている日本政府に対して何ら有効な手だてがとれないでいる僕ら自身の問題を考えなくてはならないことを理解させられます。

そうそう、今村さんから送ってもらった『北斎美術館』の（一）（三）（四）（五）の四冊、届いています。七月三一日に告知がありました。どうもありがとうとお礼を伝えておいて下さい。北斎の肉筆画を勉強しようということで送ってもらった次第ですが、水墨画をやっていると、江戸の画家たちの筆の使い方の見事さに、ただただ恐れいるばかりです。特に北斎のそれは、神技としかいいようがありません。

ところで、この水墨画とは別に、ボールペン画をまた少しずつ始めています。今はもっぱら仏画をやっていますが、これは用紙がないためです。しかし、そのうち何らかの形で用紙が手に入るよう交渉してみるつもりですが、そのためにはボールペン画の作品を書く必要があり、迫力のあるものを描いてそれを見せながら交渉しようと思っています。とにかく、ボールペン画による仏画もなかなか味があり、悪くありません。

この間、ここで見せてくれるビデオ映画でみごたえのあったものは、「クイズ・ショー」でしょうか。クイズ番組が実際には裏で答を教えたりして勝者を選別しているやらせであったことが暴露されていくもので、今のテレビ界の醜悪な実態を間接的に描きだすものになっていておもしろかったです。ディレクターが、たとえやらせでも見るものが喜んでおり、誰も被害を受けているわけではないのだから、問題はないはずだと最後に弁解し、それでケリとなっていましたが。しかし、個々に被害を受けてはいなくても、やらせによる操作は、個々人の良心をマヒさせ、真実を見えにくくさせ、刺激的な作り物ばかり追い求めさせていくようになる点で、社会総体に重大な被害を与えるわけで、個々の被害よりも大きな被害といえるのではないかと思います。そして、まさにこの点で、今の日本は完全に良心をマヒさせられており、しかも拠り所となるべき基礎的な論理も原則も失わさせられているわけで、このような状況に日本を落とし込めている点で、マスコミの果した役割は絶大と言わなくてはなりません。もっともこういうことになったのも、もともとそのような論理や原則なんてなかったからで、それが白日のもとにさらけ出されているにすぎません。

八月は、一三日から一七日まで五日も連続して休みがあり（一三日から一五日までお盆休み）、この間、ビデオ映画が見ることができるので、楽しみにしています。八月が終われば、夏も終わり、楽な季節になります。といっても、今年の夏は、今のところずいぶんと楽です。これも、この甲府の猛烈な暑さになれたからでしょうか。何しろ、三〇度を越えてもさして暑いとは感じず、三五度を越えて暑さを感じるようになったのですからね。そんなわけで、今年の夏も元気に乗り切っていこうと思っています。ではまた。

（一九九七年八月三日）

懲罰舎房について

御無沙汰している間に、九月が過ぎ去り、一〇月も下旬になってしまいました。本当にかけ足のように日にちがたってしまいます。イヤハヤです。

懲罰のことでは御心配をかけてしまったようですが、実は今また懲罰舎房に来て取調べ中の身となっています。僕自身が何かをしたというわけではなく、工場の中でのドタバタ騒ぎにまきこまれた形での取調べですが、そのドタバタ騒ぎが僕の仕事場の隣で行われたため、騒ぎに関係あるなしに関係なくまとめて連行されてしまったというわけです。ドタバタ騒ぎといっても、僕の知らないところで発生したので詳しいことはほとんど分かりませんが、その時に工場にいた臨時担当の看守の対応のまずさから騒ぎが大きくなってしまったともいえそうです。というのは、細かい規則でがんじがらめに締めつけられているだけに、ちょっとしたことでも対応を誤ると工場の秩序がガタガタと崩れてしまうからです。

もっとも、僕が懲罰を受け、もはや無事故を続けていく必要がなくなったことが、工場内に反抗的気分を作り出しているということもあるかもしれません。

しかし、前にも書きましたように、この懲罰舎房にもよいところがあります。それは、房にテレビがないうえ、比較的静かなので、休日などは勉強するのにもってこいというわけです。独房生活のベテラン（？）の僕にとっては、ここは極楽（獄楽と書いた方がいいかな？）ともいえ、ここに来ると古巣に戻ったような落ち着いた気分になり、工場でのやっかいなことがまるでウソのように感じられてしまいます。そのため、この頃は、この機会にもう工場に戻るのはやめ、このまま独居作業にしようかという思いにさえなってきています。

それはともかく、そんなわけで、今はここでの生活を有効にかつ大切に活用しています。といっても、できることはたかがしれていますが、それでも、学習にまわせる時間はかなり増え、特に連休のときなどは実に貴重な時間となってくれています。

今の勉強は、簿記会計が中心になっています。というのは、一一月に簿記会計の一級の検定試験があり、その準備をしなくてはならないからです。簿記会計も、さすがに一級になるとむつかしく、てこずらされます。

工場の仕事仲間へのつきあいで始めた簿記会計の学習が、とうとう一級の検定試験を受けるところまで来てしまいました。一級の試験に合格したからといって、僕にとってはそれ自体役にはたちませんが、しかし、おかげで企業会計や工場会計というものの扱い方もそれなりに理解でき、なにやら経済の実習をやらせてもらっているような気分になっています。とにかく、企業会計や工場会計の扱い方を習得していくことは、経済を論理的、思想的な面からだけでなく、実践的、技術的な面からも扱っていくことを可能にしてくれるわけで、きわめて重要な意味があります。それに、原価計算などの計算問題もなかなかおもしろく、刺激的で楽しませてもらっています。

ただ、簿記会計はあくまでも経済活動のための技術に他ならないわけで、それを誰のために、どのように使うかによって性格を大きく変えます。そして、それが企業、経営者のために使われるならば、それは金儲けのための強力な武器となって、企業活動を反人民的、反社会的な方向へ走らせていくことになります。しかし、それが社会、労働者、住民のために使われるならば、それは社会発展のための重要な武器となり、人民的、社会的な企業活動の可能性を切り開いてくれます。こうした相反する傾向は、簿記会計の担当者を常に悩ませることにもなるわけですが、それだけに、簿記会計の学習を、経済の理論的、思想的な理解や研究と結びつけていくことが重要となっていくことと思います。どうも、現実は、両者がまったくといっていいほど別々に行われており、そのため、一方には、経済活動の実務には無知、無能な経済学者がのさばり、他方には、経済的な思想や理論にまったく無関心な実務家や事務家をはびこらせることになっています。そして、このような分離した状態が、資本家的な企業や経営者による、違法行為を含めた経済活動の反社会的、反人民的な占有を可能にしているともいえます。

八月一日の永山則夫氏の死刑執行は、多発する異様な少年事件への威嚇によるみせしめと少年法改悪の準備という、自らの思想的貧困をさらけ出しただけのきわめて悪質な政治的意図に基づいたものであり、そこには、人間的な感情や理性的な思考を排除した、自分たちの支配力を強化することしか考えていない日本の法務官僚の無責任な本質が如実に現れています。このことは、松浦前法相が九月初めに、「司法制度は、法務省と最高裁がイニシアチブを取って改革すべきだ」「法曹二者でいい」という、本音そのものの暴言にもよく現れています。国家が議会としての機能をまったく喪失し、官僚的警察的政治が前面に出てきている中で、そのことを当然のことのように、しかも率直に表明したところに、現在の政治状況がよく現れています。

今の日本の政治状況のひどさを示すものとしては、もう一つ、例の日米の新たな安全保障をめぐる協議にもよく現れています。特に、日本周辺有事の際に、米軍の使用施設として関西空港などの民間空港を一〇カ所提示したことや、日本国内での大規模な作戦訓練域の提供で合意したことなどは、日本のアメリカへの従属をさらに強めていこうとするものであり、そこには、アメリカの手先となることによって支配力を維持してきた日本の役人たちが、自分たちの無能さをさらけ出し、日本の存在感を希薄化させている政治的経済的な混迷と衰退の中で、アメリカへの一層の従属を通して東アジアでの日本の政治的軍事的役割を強化せんとするいじきたない腐った根性しかなく、日本民族としての自覚や誇りは見る影すらありません。

とにかく、読売新聞を読まされているせいか、腹立たしい思いにさせられる報道や論調ばかりで、まったくやりきれません。そういえば、今度の新法相に元警視総監の下稲葉耕吉氏が就任しましたが、これも実にひどい出来事であり、先が思いやられます。この人物は、公安で謀略事件をはじめいろいろと問題のある活動に手を染めて出世したわけで、そういう人物が法務大臣になったこと自体、醜悪極まりない奇怪な事件という他ありません。これも、今の日本の官僚的警察的政治支配を象徴しているのでしょうが、それによる悪臭をかがされる方はたまったものではありません。

　なにやら今日はさえない話ばかりになってしまいましたが、一つ朗報があります。それは、この甲府刑務所に来てから書けないでいたボールペン画がもしかしたら可能になるかもしれない、というものです。残念ながら、まだ可能にはなっておらず、今、刑務所側に、ボールペン画用の用紙の特別使用を検討してもらっているところですが、ボールペン画の方は生計の糧にもなるだけに、なんとか許可してほしいものです。

　長くいれば、どうしてもやっかい事に直面せずにはいられませんが、僕自身は快調にやっており、体調も上々ですので、安心して下さい。今日はこんなところです。お体をくれぐれも大切にして下さい。父さんによろしく。ではまた。

（一九九七年一〇月二一日）

出獄まであとわずか…

公的資金という御都合主義

新年をいかがお過ごしでしたか。僕の方は、今年の正月は今のところ快調に迎えることができました。去年は、年末から風邪をひいて正月中は高熱で寝こんでしまい、せっかくのおせち料理もほとんど食べられませんでしたが、今年は風邪をひくこともなく、おかげでおせち料理を全部たいらげることができました。もっとも、おせち料理といっても、この中でのものですから、たいしたことはありませんが、それでも僕ら中にいる者にとっては大御馳走であり、なんといっても貴重な栄養確保の上で欠かせません。このところ体重が減少気味で困っていましたが、このおせち料理で約一・五キログラム体重を増やすことができ、ヤレヤレの思いです。

正月休みのもう一つの楽しみは、ビデオ映画の放映です。これまで毎年、この正月中に話題作が放映されるのですが、今年は、山崎豊子原作の問題作「大地の子」（ＮＨＫ）のシリーズの連続放映でした。山崎豊子原作の「大地の子」に対しては、盗作でないかと問題になっていますが、盗作であるかどうかは別にしても、作品の内容としていささか問題があります。しかし、それでも、この「大地の子」は、歴史的にいろいろとかかわりがあるため、興味深く見ることができました。問題のある点は、中国に残留した日本人の遇され方の扱いと、プロレタリア文化大革命の扱い方でしょうか。プロレタリア文化大革命については、直接に影響を受けたうえ、その評価をめぐって様々に論争してきたので、「大地の子」の中でのように、否定的な面や悲惨な面ばかりを強調されると、大いに反対せざるをえません。それに、プロレタリア文化大革命は、混乱を引き起こし、経済建設に大打撃を与えたとしても、その中で中国人民は大いに鍛えられたわけで、このことを正当に評価しなければ、中国の本当の意味での成長を理解することはできません。それは、中国に残留した日本人についても同様でしょう。とりわけ、中国に残留し、中国革命に協力し、中国の経済建設に貢献した日本人の存在を軽視してはならないわけで、そうした日本人の存在を無視し、中国残留「孤児」の問題のみを強調することも、やはり歴史の流れを矮小化するものとしかいえません。

とはいえ、このようにいろいろな感想をもって見ることができたビデオ映画は、久々のことであり、こういうビデオ映画をもっと見せてほしいものです。

あと、この正月に楽しめたのは、高校サッカー・インターハイに久々に藤枝東が登場したことでしょうか。残念ながら準決勝で帝京高校に敗けてしまいましたが、それでも藤枝東の名を聞くと、嬉しいものです。

この冬は暖冬傾向で、年が明けても防火用水に氷が張っていないほどの暖かさでしたが、八日にはこの甲府にもかなりの雪が降り、すっかり雪景色となってしまいました。暖冬といっても、今年の冬は、日本列島の南岸を次々と低気圧が通過して雨の日が多く、従って、大陸の高気圧の寒気が少し南下すれば、暖冬どころか、雪の多い寒冬となってしまうわけで、気団のほんのちょっとした位置のずれで気候が大きく変わってしまう不思議さを教えられます。

雪で白くなったまわりの山々の美しさは格別で、特に南アルプスは、雨の日が多かった分、雪が沢山積もっていて、見事なほどの雪山となっています。そのせいか、雪崩も多く、正月には北岳の雪崩で遭難者が出ています。

ただ、雪が降ると、舎房の方はまったくの冷蔵庫になってしまい、これはありがたくありません。こういうときは休日は困りもので、工場に出ていた方が、暖房があるだけに、助かります。しかも、積雪でグラウンドが使えないため、外での運動が出来ず、これも困りものです。当分、外での運動は不可能のようですが、このうえさらに雪が降ったりすると、一ヶ月以上も外で運動が出来ないなんてことにもなりかねず、先が思いやられます。ここでは、雪は、やはり困りものです。

冬の寒さは、これからが本番となってゆきますが、僕にとっては刑務所での最後の冬となるわけで、この冬の監獄の中での独特の寒さ、冷たさがなにやらなごりおしいような思いにさせられます。この冬も、長袖のメリヤスやズボン下を着ることはなさそうですが、この調子で冬をしっかりと乗り切っていきたいと思っています。

新聞報道によると、三浦和義さんの控訴審裁判が結審したとのことですが、一審の判決が法律的にみてメチャクチャな内容のものだっただけに、こんな情況証拠のいいかげんな解釈だけによって有罪にしてしまうような裁判を許さないためにも、なんとしても無罪をかちとってほしいものです。この裁判においても、相当に政治的な思惑が働いているので、どんなに被告・弁護側の主張が正当にみえても、道理の通らないことが多く、したがって予断はできませんが、三浦さんの無罪と一日も早い出獄を祈っています。

保守勢力の主張が常に御都合主義に基づいていることは今にはじまったことではなく、彼らの一貫した本性のようなものですが、一月一日の読売新聞の社説「大胆に遅滞なく手を打て」も、その典型例といえましょう。というのは、この間まで、「社会主義諸国」の崩壊をもって市場経済の勝利を声高に叫んでいながら、この社説では、その舌の根もかわかないうちに、「当面の金融危機に対処するにあたって、注意すべき点は、市場経済にすべてを任せることが最善の方法だとする〝市場万能主義〟に惑わされないことである」と述べて、「思い切った額の新型国債の追加発行」による金融機関の救済を主張しているからです。「社会主義諸国」に対しては国家財政（公的資金）による国有大企業の保護が経済建設の失敗の原因だといいながら、日本国内に関しては、国家財政（公的資金）による金融資本の保護の必要を主張するというこれほどの御都合主義は、そうお目にかかれるものではありません。

今日は、こんなところです。『数理科学』の一〇月号に、「量子力学の新しい解釈とその認識論における帰結」と題するなかなかおもしろそうな小論が掲載されていますが、これについてはこの次書くことにします。

外は、また雪が降りそうな空模様となっています。この調子で降り続くと、本当に大雪の年になりそうです。父さんの風邪は治りましたか。寒さはこれからです。お体にはくれぐれも気をつけて下さい。ではまた。

（一九九八年一月一一日）

出獄の準備

お手紙、受け取りました。本当に早いもので、もう二月に入ってしまいました。一日一日がどんどん過ぎ去っていくので、何かに追いたてられているような気持ちにさせられます。これも仕事に追われているせいかもしれませんが、反面、思うように学習が進んでいないせいでもあり、この点では少々手をひろげすぎたと反省しています。

一月一五日の大雪には少々驚かされましたが、群馬の方はいかがでしたか。甲府では平地で約五〇センチも積もったのですから、山の方は大変な積雪だったようです。日陰の部分などにはまだかなりの量の雪がしっかりと残っていますし、まわりの山々も白いままで、すっかり雪国の風景になってしまっています。おまけに、朝の冷え込みもなかなかのもので、一月末には氷点下七・

九度という日もありました。そんなわけで、今年は冬らしい冬の寒さをしっかりと楽しませてもらっています。

さて、九八年は、内外ともに多くの問題の噴出とともに始まり、あらゆる意味において閉塞的な様相をますます色濃くしていますが、しかし、これはとりもなおさず、今まで通りのやり方ではやってゆけなくなっていることをより一層鮮明にするものに他なりません。特に、日本の国家財政の破綻的事態と政治の脳死状態は一段と深刻化しており、それらが日本経済の衰退を加速化させています。やはり戦後の日本経済の発展を可能にしたアメリカへの従属・寄生と国家財政への依存が、今や日本経済の致命的弱点となっているのでしょう。そのため、日本のゆきづまりが誰の目にも明らかなものになってしまっています。政府は、このような状況から人々の目をそらしながら、より一層の負担と犠牲を強いようとあの手この手の奇策——実際は愚策ですが——を弄していますが、結局はそれらのどれもうまくゆかず、九八年はこうした状況を一段と深刻なものにしていくことでしょう。

これに対して、僕の方は、この九八年は今のところ快調にすべり出しています。去年は、正月早々風邪をひいて高熱を出し、正月休み中寝こんでしまい、それ以来なにかとやっかい事が続いてさえない年になってしまいましたから、この調子でいけば、今年は実り多い年になりそうです。

出獄するまでには、まだ八ヶ月ありますが、八ヶ月なんてすぐであり、そろそろ出獄に向けて領置されているものを整理するなど、出獄のための準備を始めなくてはなりません。というのは、工場での仕事の方でなにかとやっかいなことがあって手が離せず、出獄の準備をしているだけの余裕があまりないからです。長く刑務所にいればいるだけ、いろいろと責任も大きくなってくるということでしょうか。

しかし、出獄といっても、僕の方はこれといってそれほどの思いはもっておらず、活動の場が獄中から獄外に変わるだけといった感じでいるのですが、まわりの人たちが僕の出獄をめぐって話題にしたがり、いささか煩わしい思いをさせられています。まあ、植垣康博という人間のもつ話題性を考えれば無理もありませんが、なにやら名前の方だけが勝手に一人歩きをしているようです。ではまた。

（一九九八年二月四日）

仕事の整理に追われています

仕事に追いたてられているうちにあれよあれよと三月が終わってしまい、四月となりました。桜はすでに満開となり、春本番となりつつありますが、いかがお過ごしですか。甲府刑務所の生活も、この四月で五年目が終わり、六年目に突入しますが、この五年間を振り返ると、仕事中心の刑務所生活でした。しかし、その仕事も、ミンクのコート作りの仕事が終わってしまったことで、気分的に気の抜けたような思いにさせられています。

今度の仕事は、皮製の座ぶとんカバー作りです。しかし、これは技術的にはこれまでのコート作りとは比較にならないほど楽なものであり、ミシンもこれまでのように二〜三週間練習したりする必要はなく、すぐに扱えるようになるので、他のメンバーは早々と製品作りをしています。僕にあれこれとむつかしいことややっかいなことを言われないですむためか、実に生き生きと仕事をしています。これまでは仕事をこなせるようになるまで相当に努力しなければならなかっただけに、無理もありませんが……。

　僕の方は、これまでの仕事の整理に追われています。長年続いてきた仕事なので、在庫の整理もおいそれとは片づかず、いささかうんざり気味です。あと一〜二日といったところでしょうか。しかし、在庫を整理していくにつれて、仕事場が広くなっていくのは、さびしいものです。

　新しい仕事も、これはこれでおもしろそうであり、手間がかからないだけに、気楽にやれそうです。カバーのデザインなど新しいものを考えていけば、おもしろ味も出てくることでしょう。

　それにしても、刑務所内の仕事というのは、総じて単純なものが多く、外に出てから役に立つ技術が身につくような仕事というのはあまりありません。ミンクのコート作りのような仕事は例外的なものとなっています。以前はこうした仕事がもっとあったようですが、どんどんなくなってきたようです。この間の不況で企業の方がそうした仕事から手を引いてしまったという面があるわけですが、企業に対して外に出てから役に立つような技術が身につく仕事を刑務所に提供することを義務づけたらどうかという思いがしています。ちょうど障害者の雇用を義務づけているようにです。出所の雇用の義務付けということも考えるべきと思っていますが、やはりこういう形をとらないかぎり、犯罪者の「更生」ということも、形ばかりのものにとどまり、いつまでたってもカッコつきの更生の域を出ることはできません。逆に、こうした何らかの形での義務付けが行われれば、刑務所の懲役刑も、もっとまじめに労働教育刑の観点からの刑罰に変わっていかざるをえなくなるでしょう。しかし、そうなるためには、日本の社会そのものが変革されなくてはならないでしょうがね。

僕の方は、こんな調子でやっていますが、あと変わったことといえば、三月の慰問演芸に、歌手の松村和子さん（デビュー曲「帰ってこいよ」がヒットした歌手）が来たことでしょうか。さすがに名のある歌手だけあって、張りのあるいい声をきかせてくれました。舞台での場のもち方なども手慣れたもので、たいしたものだと思いました。ここには売れない歌手がよく来るのですが、やはり売れる歌手と売れない歌手とのちがいは歴然としており、単によい歌にめぐまれたかどうかという違いだけではないことを理解させられます。特に演歌の場合は声のつやと張り、それに表現力がものをいうだけに、これらの違いは際立っています。歌がうまいだけではだめだということですが、このあたりまえのことがよくわかります。

この三月には、ビデオ映画でもなかなかよいものを見ることができました。それは、「俺たちに明日はない」です。これは、新しいもので、かつての白黒の映画とはちがいますが、それでも見応えがありました。ただ、白黒の映画の方がずっと緊張感があり、殺されてしまうクライドたちの人生、生き方とその時代へのやりきれなさがなく、アクションばかりが目立っていたような感じがしました。やはり、この映画には、『怒りの葡萄』に書かれているような一九三〇年代のアメリカの苛酷な状況が不可欠であり、それをうかがわせてくれなくては、迫力に欠けます。いいかえれば、この時代背景を知っているものにとっては、それなりの見応えがありますが、ないものにとっては単なる銀行強盗のアクション映画でしかなくなってしまうということです。このあたりに、アメリカ映画の変質ぶりがうかがえます。今のアメリカ映画には奇をてらったようなアクション映画が多いように思われますが、これもアメリカの今の状況を反映しているのでしょう。

　他には、「告発のゆくえ」、「ディスクロージャー（暴露）」などがあり、邦画では「パラサイト・イヴ」がありました。「パラサイト・イヴ」は話題になったSF・サスペンスものですが、アイデアとしてはなかなかおもしろいものの、内容としてはどうしても科学的な面から評価してしまうのか、どうも今ひとつ深みに欠けるように思いました。もう少しつっこんだリアルな展開があってもよいのではないかという思いがしましたが、そのへんをぬきにしてみれば、これはこれで楽しめる映画と思います。「告発のゆくえ」「ディスクロージャー」は、法廷ものですが、今、アメリカ映画で魅力あるジャンルはこの法廷もののように思われ、これらもなかなか緊張感をもって見ることができました。日本の裁判ではとうてい不可能な場面が描かれているので、おもしろさがあります。

　裁判といえば、神戸の甲山事件に対するやり直し裁判で、山田悦子さんに対し再び無罪の判決が出ましたね。あたりまえのことですが、やり直しであっただけにホッとしました。しかし、神戸地検は控訴の方針とか、こうなるともはや地検の面子としかいいようがなく、山田さんをさらに被告の座にしばりつけることによって苦痛を強いることを目的としていることを感じさせられないわけにはゆきません。決定的な打撃を与えられない限り、手をひこうとしない検察官僚の本性というところでしょうか。こういうことに力をさく余裕があるのなら、汚職や不正への追及にもっと力を入れたらどうだ、というところでしょうか。

もっとも、この間の大蔵省、日銀、金融界に対する汚職・不正の追及も、実際には金融資本への公的資金の導入のための演出と金融界の再編、統制の強化という政治目的に沿ったものにすぎず、そこには、多分にアメリカ金融資本の流入を前にしての日本金融資本の腐敗部分の掃除という意図が働いていることを指摘しないわけにはゆきません。それはとりもなおさず、バブル期の失策のしっぽ切りでもあり、これによってこの失策のつけをわれわれに押しつけようという魂胆がみえみえです。

三月には死刑の判決が相次いだりして、ろくなニュースはありませんでしたが、その中でうれしかったのは、南アフリカ共和国を訪問したクリントン大統領に、マンデラ大統領がキューバ、リビア、イランとの関係を断つことを拒否したことでしょうか。こういう姿勢は、どのような立場にあっても忘れてはならないと思います。

今日はこんなところです。春はなにかと気候の変化で体調をくずしやすい季節です。お体にはくれぐれも気をつけて下さい。ではまた。

（一九九八年四月五日）

『あの事件』——解説にかえて

宮崎　学

「あの事件」に触れまい。

それが植垣康博と会話を交わす時の私の偽らざる気持ちである。そうしないと、彼との会話そのものがギクシャクとしたものになってしまう。そして、会話の中心も現状についてや今後のことになってしまい、長続きしない。

こうした思いを持つのはどうしてか。一九六〇年代から一九七〇年代の日本の学生運動がどの党派ということを問わず、植垣康博を創出してきたのではないだろうか。つまり、私も植垣康博的活動家を育て上げたかもしれない。そういった、言葉では言い表わしにくい気持ちがなせることなのだ。

今回、その植垣康博が甲府刑務所時代の手紙と、一九九八年以降に発表したものを著作としてまとめるのにあたって、どうしてもこの私にあとがきを書けということになった。

私は「あの事件」に真正面から向かい合わざるを得なくなったのである。この小文はその結果を記したものである。

「あの事件」に関する私の見解は以下のようになる。

日本の新旧の左翼には典型的な物事の考え方として、「目的は正しかったが方法が間違っていた」というのがある。植垣康博たちの連合赤軍事件を捉え直す場合にも、この言い古された論理があった。この論理の身勝手さは、連合赤軍事件を否定的に総括する際に、最初に解体しておかなければならないものとしてあると私は考える。

方法が間違っていれば、全部が間違っていたのである。目的も間違っていたと考えるべきである。問題とすべきは、何故間違えたかということではないだろうか。

続いて考えるのは、組織と個人の関係についてである。政治行動を行なおうとする時、志を同じくするものが組織を作る。これは、活動を効率的かつ機能的に推し進めるためには必要なこととされている。

しかし、組織は運動との関連においてこそ必要なのであって、組織そのものが自己目的化されることは間違いである。むしろ、運動と組織という点からいえば、運動がその目的を達するためであれば組織はなくなってもいいということではないだろうか。

組織があればさらなる運動へと進むことができる故に組織を防御する、そのためには組織を「純化」させなければいけないとする考え方に支配されてきた。そのことは否定するべきだと私は思う。

一九七〇年頃、赤軍派のある指導者が獄中から「革命戦争の核心は人の要素とは精神力の問題だ。革命的献身性、自己犠牲心の育成、これこそが革命戦争を勝利させるカギだ」というメッセージを出している。このメッセージの言葉から「革命」という飾りを取り除くと、それは、第二次世界大戦末期に東条英機が学徒出陣の際に語った言葉とまったく同様であることが分かる。

つまり赤軍派の指導者のメッセージはその精神性において、ファシストと通底するものがあるのだ、これは献身性と自己犠牲を強要する論理なのである。そして、それは組織（時には国家、時には党）への忠誠心をあまりにも人工的にかきたてるものとして、その精神の貧しさを問題とされるべきであろう。

指導者の資質の問題でもある。

私は拙著の「不逞者」の中で次のように記した。

――抑圧されたもののルサンチマンは、容易に憎悪に満ちた階級意識につながり、そこで逆転現象を起こして、階級意識の名の下にルサンチマンが肯定され育まれていくのである。このような逆転の上に花咲くのが、革命の名による成り上がり根性である。そして、運動の中での地位と名誉、権力を追い求めることになっていく。

私は成り上がりを軽蔑しない。どん底から、自分の才覚だけで、チャンスをとらえて這い上がり、財や名誉を手にしたとして、どこが悪いのか。どこが卑しいのか。誉められこそすれ、蔑まれるいわれはないではないか。

だが、カネと名誉を否定し、それを生きる基準にし、その基準で人々を煽動したり組織したりしているはずの人間は別である。そういう人間が、実はルサンチマンに基づく成り上がり根性で革命を呼号し、人々に犠牲を求めているのだとした、それは卑しむべきことであり、そういう人間は革命運動など即刻やめて、大衆組織や革命組織を利用せずに、つまり他人の善意を踏み台にせず、自分の腕一本で成り上がるべきである。これは革命運動だけではなく、

労働運動でも同じである。――

何故、植垣康博たちの指導者であった森恒夫が、組織（党）にかくもこだわったのか。このことについて、かつて植垣康博は「党を作ったというのが、ある意味では、森さんのそれまでの闘いの中の唯一の成果だった。その成果を森さんは守りたかったのだと思う」と、私に語っている。

この言葉は実に辛い。

さらに、理念の虚構性についての私的見解を述べたい。私はこれまで、いろいろな「……のために」を見てきた。例えば「国家のために」「民族のために」「党のために」「労働者・人民のために」等々。それらは全て虚構であったと私は思う。

同じ虚構であるとしたら、私はもう少し違った虚構のために命をかけたいものである。私が今、その虚構を示せと言われるのなら、次の虚構を示すだろう。

それは二〇〇〇年前の『史記』遊侠列伝の「義侠」についてである。「その言葉（義侠）には

必ず信義があり、おこのうては必ず約束を果たし、いったん引き受けた以上あくまで誠実で、わが身を惜しまず進んで人の困難を救い、存亡死生を度外視して、しかもその能力を誇らず」と示している。私には同じ虚構であっても、こちらの虚構の方がはるかに心地よいと感じられるのだ。

最後に。

私は、歴史とは出来事であると考えている。さらに、この出来事に自分ならどうするのか、どうすべきなのかという自分の覚悟を考える。これが歴史を考えることだと思う。

今、植垣康博の連合赤軍事件を歴史の中の出来事として考える時、自分が植垣康博だったならどうしたのか、どうすべきだったのかということを考えたい。

植垣康博のこの出来事における行動を、見世物のように見る傾向があまりにもありすぎるのではないか。私はそれに対して失望と怒りを覚えるのだ。

繰り返しになるが、歴史とは出来事なのである。そして、その出来事に自分ならどう応答するのか、つまり自らの覚悟をその出来事の中に確認する行為としてのみがあり得ることなのだ。

（文中の敬称は略させていただきました。）

二〇〇一年一月二十六日

〈著者略歴〉

植垣康博（うえがき・やすひろ）

1949年1月　静岡県生まれ
1964年4月　静岡県立藤枝東高校入学
1967年4月　弘前大学理学部物理学科入学，のちに退学
1972年2月19日　逮捕
1982年6月18日　一審懲役20年の判決
1986年9月26日　二審懲役20年の判決
1993年2月19日　最高裁、上告棄却
1998年10月6日　刑期満了で出所

著書『兵士たちの連合赤軍〈新装版〉』（彩流社）

連合赤軍27年目の証言

2001年3月15日　発行　　定価はカバーに表示してあります

著者　植垣康博
発行者　竹内淳夫
発行所　株式会社　彩流社
〒102-0071　東京都千代田区富士見2－2－2
電話 03（3234）5931　FAX 03（3234）5932
http://www.sairyuusha.co.jp
e-mail:sairyuusha@mtg.biglobe.ne.jp

印刷　㈱平河工業社
製本　㈱三森製本

Printed in Japan

落丁本・乱丁本はお取替いたします

ISBN4-88202-697-X C0036